La
CAMPAGNE
à la
MAISON

La
CAMPAGNE
à la
MAISON

Liz Trigg, Tessa Evelegh Stewart
et Sally Walton

Photographies de
James Duncan et Michelle Garret

Traduit de l'anglais par Ghislaine Tamisier-Roux

Sélection
Champagne
inc.

Édition originale publiée en Grande-Bretagne par Lorenz Books
sous le titre *Glorious Country*
© 1995 et 2001, Anness Publishing Limited
© 2002, Manise, une marque des Éditions Minerva (Genève, Suisse)
pour la version française

Éditrice : Joanna Lorenz
Responsable du projet : Lindsay Porter
Photographies pour la section Décoration : James Duncan
Photographies pour l'artisanat : Michelle Garrett
Styliste : Tessa Evelegh
Cuisine : Michelle Garrett

Les photographies des pages 6-9, 14, 15, 36, 37, 56 et 57
Sont dues à Steve Tanner

Cet ouvrage a déjà été publié en grand format sous le titre : *La campagne à la maison*
Traduction : Gisèle Pierson

ISBN 2-84198-182-7
Dépôt légal : avril 2002
Imprimé en Chine

**Distribué par
Sélection Champagne Inc.
Montréal, Québec
(514) 595-3279**

Sommaire

Douceur champêtre

Imaginez une maison à la campagne par une belle journée d'automne, de la fumée qui s'échappe de la cheminée dans un ciel bleu limpide. Les arbres ont pris de superbes teintes jaune et orangé et le vent est un peu frais. Les chats dorment dans un rayon de soleil, insensibles au piaillement des oiseaux perchés sur le toit. L'été, la tonnelle au-dessus du portail est couverte de fleurs, et les roses trémières grimpent le long des murs blancs, contournant les fenêtres ouvertes, tandis qu'une douce brise fait voleter les voilages en mousseline. ❧ Entrez dans la maison et sentez la bonne odeur du pain qui cuit dans le fourneau. Laissez vos bottes sur le paillasson et marchez sur les dalles fraîches. Asseyez-vous confortablement près de la table en pin et regardez les motifs au pochoir, la dentelle au crochet, les cuivres brillants et les cuillères en bois. Telle est la campagne de nos rêves, et si nous vivons à cent à l'heure dans un environnement urbain plutôt stressant, ces rêves n'en ont que plus d'attrait. Ces images dorées de la vie paysanne évoquent avec force un mode de vie qui, d'une certaine façon, paraît plus doux, moins éprouvant et plus naturel que la routine citadine. Tandis que la tension monte en cette fin de vingtième siècle, nous aimerions retrouver un peu de cette tranquillité campagnarde dans nos vies. L'un des moyens les plus simples pour y parvenir est de recréer certains éléments de rusticité dans notre maison, afin de regagner le soir un environnement reposant et accueillant. Il n'est nul besoin de vivre dans un cottage anglais pour en recréer la douillette atmosphère : c'est tout autant un état d'esprit qu'une façon de vivre. ❧ Cet ouvrage vous explique comment parvenir à cet état d'esprit, et comment l'orienter pour réaliser des projets qui apportent un peu de cette vie campagnarde idéalisée dans votre intérieur, que vous habitiez une ferme ou un appartement en centre ville. Vous n'apprécierez pas seulement le résultat de votre créativité. En concevant et en confectionnant des ouvrages dont le style évoque la campagne, vous éprouverez un sentiment de paix et de satisfaction qui est en fait l'objectif premier de ce style de vie.

CI-DESSOUS :
Superbe et néanmoins si pratique : telle est la double nature du patchwork, typique du style campagnard.

Retrouver le charme de la campagne

Dans le monde entier, des citadins rêvent d'un mode de vie plus calme, d'un lieu où la circulation serait moins dense, où les aliments auraient davantage de goût et où, la nuit, les mille feux qui illuminent le ciel seraient des étoiles et non des néons. Cette vision des choses est peut-être idéalisée, mais elle repose sur une part de vérité : la vie à la campagne est, aujourd'hui encore, rythmée par les saisons, et non par des échéances instaurées par l'homme. 🍃 Les maisons campagnardes sont confortables et pleines de vie, et la décoration y est conçue pour vivre et non pas seulement pour être admirée. Bon nombre des objets que nous considérons comme des symboles du style rustique ont en fait une fonction éminemment pratique. 🍃 Le style rustique

varie beaucoup selon le pays et le climat local, mais il s'articule autour d'un noyau général. Il s'agit avant tout d'un style « maison », agréable et fonctionnel.

Ainsi, la cuisine est généralement vaste, avec une grande table en pin naturel et tout un assortiment de chaises confortables. Les cuisines campagnardes sont souvent très colorées, ornées d'un buffet couvert de porcelaine et de paniers, pleins de fleurs et d'herbes aromatiques en train de sécher, suspendus aux poutres. Ne cachez jamais vos cuivres étincelants dans les placards ! Suspendez-les plutôt, suffi-

samment haut pour ne pas vous y cogner la tête. Les sols doivent être pratiques, résistants et d'un entretien facile, c'est pourquoi les parquets, les dalles de pierre ou de liège et le linoléum ont tant de succès. Il est en outre facile de les adoucir en les couvrant d'un tapis de coton lavable. 🍃 On y prépare, avec les produits de saison, une cuisine saine et nourrissante : des rôtis et des ragoûts, qui réchauffent en hiver, de légers flans de légumes et des tartes aux fruits, en été. Les produits cultivés dans la région (préférez ceux qui sont issus de l'agriculture biologique, s'ils ne proviennent pas de votre propre potager) auront cent fois plus de goût s'il s'agit d'une variété de saison plutôt que d'une culture à rendement continu. 🍃 On trouve côte à côte une

boîte à biscuits qui vient de l'arrière-grand-mère et une cruche émaillée dans laquelle on a placé le bouquet de fleurs cueillies la veille lors de la promenade. Dans toute la maison, les arrangements floraux s'inspirent de la nature et sont associés à d'autres éléments organiques pour donner une ambiance plus spontanée et moins formelle que les fleurs de serre. Vous pouvez, par exemple, disposer quelques fleurs dans une coupe en verre, ou ramasser des brindilles pour confectionner une couronne en forme de cœur que vous garnirez de lierre. Quant aux couleurs de l'automne, les colo-quintes et infrutescences séchées en sont de superbes témoins. 🔔 Le style que nous vous présentons dans ce livre ne suit pas la mode, et les couleurs que l'on y trouve sont celles du paysage environnant. Elles ne sont pas pour autant nécessairement ternes et tristes : osez les teintes riches de l'automne, avec leur éclat brillant, ou les couleurs chaudes de l'été qui évoquent un pré couvert de boutons-d'or ou un champ de maïs doré. 🔔 Personnalisez votre intérieur. Un motif peint sera peut-être encore là cinquante ans plus tard, aussi réalisez-le avec soin. Prenez le temps de laisser votre créativité s'exprimer, que ce soit sous la forme de pochoirs, de broderies ou de peintures au sol. Tous les ouvrages « faits maison » contribuent à créer un intérieur douillet et vous donneront, en outre, un sentiment de fierté personnelle qui ne s'achète pas. 🔔 Nous vous proposons ici des projets décrits de façon très progressive. Quels que soient votre expérience et votre sens créatif, vous en trouverez toujours quelques-uns à votre portée. Peut-être êtes-vous, par exemple, intimidé par la broderie mais en mesure de décorer un moule en le martelant ; hésitant en matière de bouquet, mais capable de disposer quelques fleurs séchées dans un pot en argile. Peu

CI-DESSOUS : Des panneaux décoratifs peuvent transformer un meuble. Si vous n'êtes pas assez sûr de vous pour peindre à main levée, prenez un pochoir, cela vous facilitera la tâche.

importe le projet que vous choisirez : tous ont été conçus pour être du meilleur effet, avec le minimum d'effort. Si vous voulez donner rapidement un coup de fraîcheur à vos murs, optez pour une bordure de couleur réalisée à l'aide de blocs de mousse ou de pochoirs. Si vous voulez donner à votre parquet l'aspect blanchi à la chaux, armez-vous de courage : vous devrez d'abord le poncer. En revanche, la peinture peut être

CI-DESSUS : *Un coussin en patchwork présente un double avantage : vos chaises en bois seront plus confortables, et vous aurez utilisé vos chutes de tissu.*

effectuée et sécher en un après-midi. Si vous avez envie de poser des dalles de liège, teignez-en la moitié en noir et réalisez un beau sol en damier. 🐿 Quant au choix des matériaux ou du mobilier à décorer, suivez les conseils de notre ami l'écureuil et réveillez votre instinct de collectionneur. N'hésitez pas à chiner sur les marchés aux puces, dans les brocantes et autres braderies : ainsi, si vous trouvez des objets intéressants, vous les aurez sous la main lorsque l'envie vous prendra de confectionner quelque chose. Il peut s'avérer très difficile de trouver un plateau en bois ou une jolie boîte en métal le jour où l'on en a besoin, aussi vous recommandons-nous de stocker dans un coin de votre grenier ou de votre cave « tout ce qui peut servir ». 🐿 D'un point de vue pratique, une véritable révolution est récemment venue bouleverser le domaine des matériaux de décoration. Avec l'arrivée des peintures à l'eau, il n'est en effet plus nécessaire d'utiliser des solvants pour nettoyer pinceaux et rouleaux : ils se rincent sous le robinet ! La durée des travaux de peinture s'en trouve réduite de moitié. D'autant que les produits à base d'eau sèchent vite, ce qui est particulièrement appréciable lorsque l'on doit appliquer de nombreuses couches de vernis sur du mobilier peint par exemple. La règle d'or à ne pas transgresser est de ne pas mélanger l'huile et l'eau. Aussi, si vous teintez un vernis pour obtenir un effet ancien, mélangez des couleurs acryliques avec un vernis à base d'eau, ou bien des pigments à l'huile avec un vernis classique. 🐿 Que vous décidiez de donner à toute votre maison le charme de la campagne ou simplement d'y ajouter quelques détails dans ce style, essayez toujours de respecter la personnalité et l'âge de la demeure. Le plus important est que votre maison vous plaise. Le style campagnard que nous vous proposons ici accorde d'ailleurs une grande importance aux notes personnelles, aux matières naturelles et au confort. Suivez donc votre instinct et appréciez le charme de la vie à la campagne... même si vous êtes en ville !

La décoration

STEWART ET SALLY WALTON

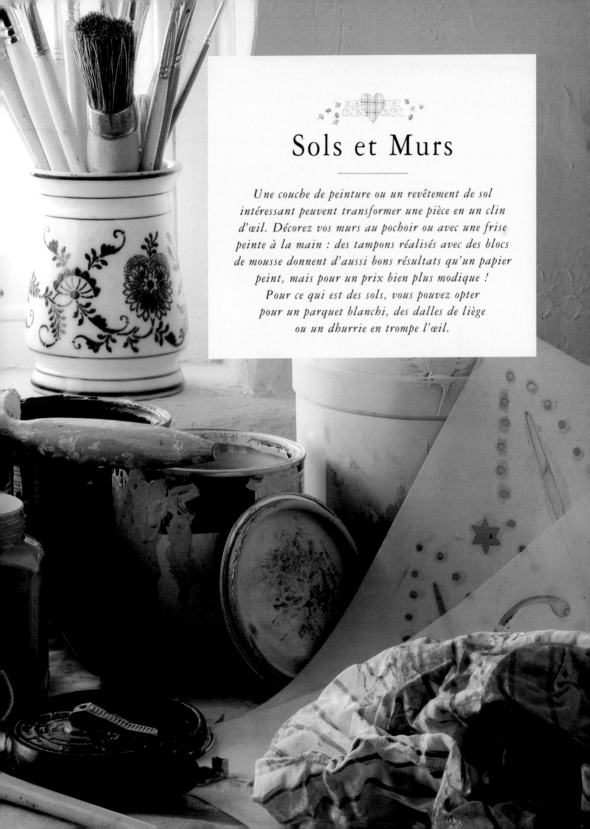

Sols et Murs

Une couche de peinture ou un revêtement de sol
intéressant peuvent transformer une pièce en un clin
d'œil. Décorez vos murs au pochoir ou avec une frise
peinte à la main : des tampons réalisés avec des blocs
de mousse donnent d'aussi bons résultats qu'un papier
peint, mais pour un prix bien plus modique !
Pour ce qui est des sols, vous pouvez opter
pour un parquet blanchi, des dalles de liège
ou un dhurrie en trompe l'œil.

La palette des teintes naturelles

La couleur a une grande influence sur nous et peut modifier notre humeur de façon assez radicale. Choisissez votre palette parmi les harmonies que nous propose la nature, en évitant les teintes artificiellement brillantes. Vous auriez tort de croire que les tons naturels sont tous des nuances de beige : pensez à l'automne et à l'immense variété de jaunes, d'orange et de rouges qui se mêlent dans les arbres.

Si vous décidez de donner à vos murs un air de campagne, il est préférable d'éviter les finis parfaits, voire uniformes. Préférez un effet délavé ou irrégulier qui vous permettra d'utiliser des couleurs vives, mais en jouant sur leur transparence et non sur leur opacité. Ne faites pas l'impasse sur les couleurs fortes comme le brique, le vert profond ou le bleu de nuit. Les meubles, tapis, tableaux, coussins, rideaux et autres éléments décoratifs s'associeront pour absorber l'intensité des couleurs murales et la diluer. Si vos pièces sont sombres, peignez les murs de couleur vive jusqu'à la cimaise seulement, et appliquez une peinture claire et crémeuse sur le haut des murs et le plafond. Les teintes sombres sont parfois très chaleureuses dans une vaste salle. En revanche, si vous souhaitez qu'une pièce paraisse plus grande, optez plutôt pour un ton clair et complétez avec une frise au pochoir ou peinte à la main pour donner une touche de couleur.

Vous pouvez aussi choisir l'une de ces nouvelles gammes « historiques » que proposent certains fabricants spécialisés. Ces peintures sont beaucoup plus chères que les lignes classiques, mais les gammes de couleurs ont été conçues pour s'harmoniser avec des meubles et des textiles anciens, et des matériaux de construction naturels.

Si vous préférez ne pas prendre de risque et opter pour des murs blancs, vous pouvez envisager de mettre les boiseries en valeur. Peignez par exemple les plinthes et les encadrements de portes et de fenêtres d'une belle teinte profonde, laissez sécher et passez une couche de couleur plus claire par-dessus.

CI-DESSUS : *Les couleurs dérivées de la nature ne sont pas nécessairement sombres. Pensez au ciel d'un beau bleu limpide ou à un champ couvert de fleurs.*

Prenez ensuite un chiffon humide et essuyez une partie de la couche supérieure. Terminez au papier de verre. L'effet d'éclat et de brillance obtenu contribuera à donner à la pièce une ambiance très chaleureuse.

Choisissez les couleurs naturelles qui vous plaisent et vous mettent de bonne humeur, et souvenez-vous que le charme du style rustique anglais ne consiste pas à tout assortir. Il n'est nul besoin de coordonner rideaux, coussins et abat-jour. Au contraire, plus le choix est éclectique, plus l'effet est généralement réussi.

Pour donner un air de campagne à son intérieur, il convient d'accorder une attention particulière aux sols et aux murs. Si vous réussissez sur ce point, la partie est jouée d'avance. Une réelle ambiance campagnarde se dégage en effet immédiatement d'une pièce nue aux murs enduits d'une peinture poudrée puis, décorés au pochoir, et aux sols décapés et blanchis, alors qu'une quantité invraisemblable d'accessoires et de meubles rustiques ne parviendra jamais à donner cette atmosphère à un salon orné de corniches au plafond, d'un papier peint élégant sur les murs et d'une moquette épaisse au sol.

Pour commencer, l'idéal serait de vider la maison, de retirer tous les vieux tapis et papiers peints et de partir de zéro, mais c'est là un luxe que peu d'entre nous peuvent se permettre. Il est plus réaliste de s'attaquer à une pièce après l'autre, en repeignant les murs et en optant pour l'un des revêtements de sols que nous vous proposons dans ce chapitre.

Nous allons vous montrer dans les pages qui suivent comment il est possible de transformer les éléments de base d'une pièce pour la personnaliser davantage. Lorsque vous peignez vos murs ou les décorez au pochoir ou au tampon, vous vous les appropriez réellement. Ce n'est pas le cas lorsque vous posez du papier peint, quelle que soit votre habileté en la matière ! Nous allons parfois vous proposer de tricher un peu : ainsi, en rendant des surfaces lisses un peu rugueuses, en retirant plus de peinture que vous n'en aurez ajouté, ou en peignant au pochoir de façon irrégulière, vous accentuerez l'aspect patiné.

Nous nous sommes inspirés d'exemples de l'artisanat et des objets de la vie quotidienne rencontrés au hasard de nos pérégrinations dans les campagnes de divers pays occidentaux. On assiste aujourd'hui à un réel regain d'intérêt pour ce style de décoration. Aussi est-il désormais possible de trouver des kits qui permettent de « vieillir » pratiquement n'importe quoi, et toute la pléthore d'outils nécessaires pour ce type d'opérations.

Quelle que soit la solution que vous reteniez pour vos murs et vos sols, n'oubliez pas qu'ils serviront de cadre à votre mobilier et autres objets personnels. Tableaux, miroirs, lampes, plantes, étagères, tapis et meubles contribueront au résultat final. Une frise peinte à la main peut ainsi sembler très imposante dans une pièce vide, mais son effet sera bien plus subtil une fois les autres éléments en place.

Souvenez-vous enfin que le style campagnard met davantage l'accent sur la détente, le confort et l'harmonie que sur la précision et la mode. Prenez donc plaisir à décorer votre maison, vous serez enchanté du résultat.

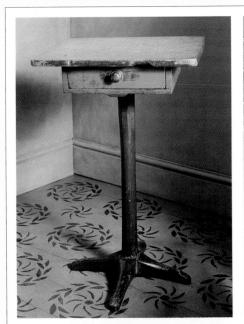

DE GAUCHE A DROITE, EN PARTANT DU HAUT : *Les murs et les sols ont été enduits d'une couche de vernis*
pour simuler la patine de l'âge. Ce brique profond est chaleureux dans un salon. Les teintes douces de cette couverture
en patchwork sont ponctuées de points de couleurs vives.

Vernissage teinté à la brosse

Ce fini doux et irrégulier est un classique de la décoration à la campagne. On l'obtient traditionnellement en passant soit une couche de peinture à l'eau très diluée, soit une couche de vernis à l'huile teinté, sur une base coquille d'œuf. Nous vous proposons ici une méthode plus simple qui donne le même résultat.

L'ingrédient inhabituel de ce vernis est la colle à papier peint que l'on mélange avant d'ajouter la colle PVA. En effet, la colle à papier peint rend la couleur translucide tandis que la colle PVA rend la surface imperméable une fois sèche. Pour teinter le vernis, vous pouvez utiliser de la poudre, de la gouache ou de la peinture acrylique, diluée dans un peu d'eau.

Prenez un grand spalter et éclaboussez le mur de vernis, environ cinq fois, à bout de bras. Étalez ensuite le vernis ainsi projeté à coups de pinceau légers et couvrez la surface de façon aléatoire. Procédez ainsi en avançant petit à petit et en liant chaque zone vernie avec la suivante.

Cette méthode étant très bon marché, vous pouvez vous permettre de préparer plus de vernis qu'il n'en faut, quitte à jeter l'excédent. Il vaut mieux éviter en effet d'être à cours de vernis avant de terminer une pièce, car il serait difficile de retrouver la couleur d'origine. A titre indicatif, un litre de vernis couvre près de 40 mètres carrés de mur.

FOURNITURES

Colle PVA
Colle à papier peint
Peinture acrylique, poudre ou gouache
pour teinter le vernis
Grand spalter

1

Préparez la surface à teinter : l'idéal serait de passer une couche vinyle satinée blanc cassé, mais n'importe quelle couleur claire unie fera l'affaire si elle est propre. Lavez donc la peinture avec du décapant et laissez sécher. Préparez le vernis en mélangeant 1 volume de colle PVA, 5 volumes d'eau et 1/4 de volume de colle à papier peint. Teintez-le avec trois giclées de 20 cm de peinture acrylique ou gouache en tube, ou 15 ml environ de peinture en poudre. Rectifiez si besoin est l'intensité de la couleur. Faites un essai sur un morceau de papier peint de la même couleur de base que vos murs.

2

Commencez à appliquer le vernis dans une partie de la pièce qui sera cachée par un meuble ou un tableau. Une fois la technique maîtrisée, attaquez-vous aux surfaces les plus en vue. Commencez par le haut du mur, en éclaboussant de la peinture avec la brosse puis en l'étalant sur la surface de façon aléatoire, comme nous l'avons décrit plus haut.

3

On obtient une surface légèrement striée sur laquelle les coups de brosse se voient, mais l'effet peut être atténué avant que le vernis ne soit complètement sec. Pour ce faire, passez légèrement votre pinceau sur le mur sans remettre de vernis, après cinq minutes. Le pinceau va éliminer tout excès de vernis et laisser un fini plus doux, moins rayé. Lorsque vous en êtes aux angles et aux bords des murs, appliquez le vernis puis étalez-le en partant du coin ou du bord. La couleur sera néanmoins peut-être plus concentrée en certains endroits, mais une fois la pièce terminée, ces différences s'estomperont.

Fini poudré pour les murs peints

Peut-être aurez-vous besoin de rendre vos murs un peu plus rugueux pour obtenir cet effet. Rien de plus facile avec un tube de mastic, une spatule et du papier de verre à gros grain. Il s'agit d'une préparation qui va pratiquement à l'encontre des traitements classiques.

Ce fini imite les couleurs douces et opaques et l'aspect poudré de la détrempe ou du badigeon, c'est le fini de peinture le plus utilisé avant l'invention de la peinture émulsion ou latex. L'avantage de ce type de peinture au fini « poudré » est qu'on peut l'appliquer directement sur du béton, du plâtre ou du placoplâtre (en fait pratiquement sur n'importe quelle surface) sans poser de papier à peindre ni passer de couche d'apprêt. La peinture est diluée à l'eau, jusqu'à obtention de la consistance désirée, puis appliquée avec un spalter. Il est facile d'éliminer erreurs et coulées avec un chiffon humide. Par ailleurs, la peinture est très agréable à utiliser. Elle sèche en deux heures environ, et la couleur s'éclaircit considérablement durant ce processus, jusqu'à ce qu'apparaisse le résultat final, une surface mate et poudrée qui apporte instantanément une douce chaleur à n'importe quelle pièce.

L'aspect un peu « négligé » du badigeon fait très campagnard. En tout cas, les murs aux surfaces irrégulières et aux teintes fanées donnent généralement une ambiance très confortable.

FOURNITURES

Enduit ou Mastic
Spatule
Papier de verre à grain gros à très gros
Peinture coloris ocre jaune
Grand spalter

1

Préparez les murs en retirant tout le papier peint, pour arriver au plâtre nu. Étalez le mastic irrégulièrement avec la spatule pour simuler la texture des plâtres anciens. Appliquez des couches fines de façon aléatoire, en travaillant dans tous les sens. Vous pourrez toujours adoucir la surface au papier de verre une fois l'enduit sec, c'est-à-dire au bout d'une heure environ.

2

Poncez le mur avec du papier de verre pour que le mastic se fonde dans la surface d'origine, en laissant çà et là quelques zones plus rugueuses pour accentuer l'effet « négligé ». Diluez la peinture (2 volumes d'eau pour 1 volume de peinture).

3

Commencez à peindre en partant du plafond. La peinture ayant tendance à éclabousser, protégez la pièce avec un vieux drap ou une toile. Peignez à coups de pinceau inégaux de façon à obtenir un effet irrégulier qui s'atténuera lorsque la peinture séchera. La deuxième couche doit être plus épaisse ; diluez donc moins la peinture avant de l'appliquer, et mélangez-la bien : elle doit avoir la consistance de la crème fraîche liquide.

Appliquez la deuxième couche de peinture en passant bien le pinceau dans toutes les fissures ou sur les zones rugueuses. Deux heures plus tard, l'effet « poudré » sera là. Cet élément de surprise rend ce type de peinture amusant, d'autant plus que la texture finale est très efficace pour couvrir sans les cacher les irrégularités du mur. C'est cette surface qui nous servira de base pour la frise au pochoir de la page suivante.

Frise au pochoir

Le pochoir a tendance à envahir la maison comme un liseron, se faufilant par une porte, grimpant le long des cadres et des escaliers et parcourant les étages ! C'est une activité très plaisante à laquelle on prend vite goût, aussi est-il très difficile d'être minimaliste en la matière !

Le motif retenu pour cette frise au pochoir provient d'une maison construite et décorée au dix-huitième siècle dans l'État américain de Rhode Island. Le pochoir était alors un mode de décoration extrêmement populaire que l'on utilisait pour créer des frises et des colonnes ainsi que des superpositions, comportant jusqu'à sept motifs différents par mur.

Une frise comme celle-ci convient parfaitement au-dessus d'une cimaise, autour d'un tableau, sur une plinthe ou même pour encadrer une fenêtre. Peut-être encore n'avez-vous pas de lambris mais aimez-vous l'idée d'un mur divisé de la sorte. Il suffit

alors de marquer cette partition à l'aide d'une couche de peinture ou de vernis.

Divisez le mur avec un fil à plomb et une longue règle, et tracez le trait au crayon. Vous pouvez alors peindre la partie du mur située sous le trait d'une teinte plus sombre, ou bien recouvrir la peinture de base d'une couche de vernis incolore satiné qui foncera la couleur initiale et ajoutera un certain éclat. La frise au pochoir intégrera visuellement les deux sections du mur et en adoucira le contraste. Si vous faites varier l'épaisseur de la peinture appliquée au pochoir, la couleur aura, en outre, l'air patinée par le temps.

FOURNITURES

Papier quadrillé
Mylar ou carton à pochoir
Adhésif en bombe ou vernis adhésif pour pochoir
Cutter
Ruban adhésif
Peinture coloris ocre jaune (optionnel)
Vernis coloris « Pin antique »
Brosse
Peinture à pochoir
Brosse à pochoir

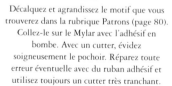

1

Décalquez et agrandissez le motif que vous trouverez dans la rubrique Patrons (page 80). Collez-le sur le Mylar avec l'adhésif en bombe. Avec un cutter, évidez soigneusement le pochoir. Réparez toute erreur éventuelle avec du ruban adhésif et utilisez toujours un cutter très tranchant. Éliminez toute trace de papier quadrillé.

2

Si vous le souhaitez, préparez le fini « poudré » de la page précédente puis, peignez tout le mur avec la peinture ocre. Passez une couche de vernis teinté « Pin antique » sur la partie inférieure du mur, donnant des coups de pinceau inégaux pour obtenir, là encore, un fini irrégulier.

3

Vaporisez une petite quantité d'adhésif sur le dos du pochoir et laissez-la sécher 5 minutes. Placez le pochoir dans un angle et peignez la première couleur. Utilisez la peinture avec modération en essuyant le pinceau sur du papier absorbant avant de le passer sur le mur. Vous pourrez toujours repasser sur une zone trop claire pour la foncer, alors qu'un excès de peinture sur le pinceau provoque des bavures. Décollez le pochoir et essuyez toute trace de peinture avant de le replacer sur le mur, à la suite du motif que vous venez de réaliser. Continuez ainsi jusqu'à ce que vous ayez terminé la première couleur.

4

La peinture au pochoir sèche vite. Vous pouvez donc immédiatement poursuivre la décoration et passer la seconde couleur, en partant du même point que pour la première teinte. Procédez comme exposé précédemment, en n'oubliant pas d'essuyer le dos du pochoir si besoin est.

Frise peinte à la main et fini brillant jusqu'à la cimaise

*Ce projet associe l'idée de partager le mur en jouant sur les textures et sur les couleurs,
et la peinture d'une frise à main levée. Pour la frise, un certain travail de préparation
est nécessaire pour obtenir l'effet décontracté du dessin réalisé à main levée,
mais le résultat obtenu sera unique sans paraître laborieux.*

Une couche de peinture brillante au-dessous de la cimaise donne une surface pratique, résistante et facile à nettoyer là où on en a le plus besoin, tout en jouant sur l'éclat de la couleur et les reflets. La couleur plus claire appliquée au-dessus de la cimaise est mate, et la teinte évoque la crème fraîche tout droit sortie de la crémerie. Si votre mur n'est pas partagé par une cimaise, ce projet reste parfaitement réalisable.

Le secret de ces courbes peintes à main levée sur une surface verticale réside dans un appui-main. Il s'agit en fait tout simplement d'une baguette de bois de 45 cm de long environ, à l'extrémité de laquelle on place une boule de coton que l'on recouvre d'un carré de cotonnade ou de mousseline, le tout étant maintenu en place à l'aide d'un élastique. Pressez le tampon de coton contre le mur avec votre main libre, sans que la baguette touche le mur. Le fait d'appuyer légèrement votre main sur la baguette l'empêche de trembler et de bouger. Exercez-vous à tracer des courbes en utilisant l'appui-main avant de commencer la frise, mais n'oubliez pas que le charme de la peinture à la main tient justement dans sa variabilité. Alors, détendez-vous et amusez-vous bien !

FOURNITURES

Peinture émulsion jaune paille,
bleu-gris brillant, et peinture
à l'huile rouge brique,
fini coquille d'œuf
Rouleau et bac à peinture
Rouleau à laque
Spalter de 2,5 cm
Ruban adhésif, si besoin est
Tire-ligne ou règle
Craie
Papier quadrillé
Carte de force moyenne

Cutter
Brosse à tableaux plate
de 1 cm de large
Gouache rouge indien et terre
de Sienne
Baguette de 45 cm de long
(de l'épaisseur d'un crayon)
Petite boule de coton
Carré de cotonnade
ou de mousseline
Élastique
Pinceau à tableaux rond n° 6

1

Appliquez l'émulsion jaune au rouleau sur le mur préparé, du plafond jusqu'à la cimaise. Passez le bleu brillant de la cimaise à la plinthe, en utilisant le rouleau à laque. Avec la peinture brique, fini coquille d'œuf et la brosse de 2,5 cm, peignez la plinthe et la cimaise. Utilisez du ruban adhésif, si besoin est, pour que la ligne soit bien nette et sans bavure. Tracez légèrement des guide-ligne à la craie à l'aide d'une règle, en marquant la profondeur de la frise.

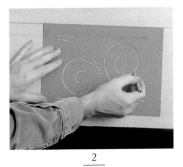

2

Décalquez le motif de la frise à partir du modèle de la rubrique Patrons, et agrandissez-le. Découpez la forme agrandie dans une carte de force moyenne. Utilisez le pochoir ainsi obtenu pour marquer la position de la frise au crayon.

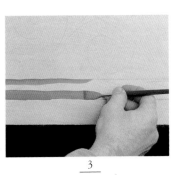

3

Peignez les traits fins ou épais à l'aide de la brosse à bout carré, utilisée à plat ou sur le côté, et de la gouache. Pour donner un peu de variété aux traits, préparez deux nuances différentes de la même couleur et appliquez l'une ou l'autre de façon aléatoire.

4

Fabriquez votre appui-main comme nous vous l'avons expliqué sur la page précédente.

5

Peignez les courbes avec le pinceau à bout rond et la gouache, en reposant votre main sur l'appui-main. Essayez de faire des mouvements aussi souples que possible.

6

Ajoutez les grappes de raisin au-dessus et au-dessous des tiges avec le pinceau à bout rond. Peignez par endroit sur les traits doubles. N'oubliez pas que vous voulez donner l'impression d'un décor fait main, et non reproduire un motif de façon régulière.

Peinture à l'éponge

L'impression de motifs à l'aide de blocs de mousse est sans doute la méthode la plus facile pour reproduire l'effet de certains papiers peints, tout en donnant une certaine irrégularité que la machine ne peut produire. Une autre caractéristique du projet que nous vous proposons maintenant tient dans la composition de la peinture utilisée : il s'agit d'un mélange de colle à papier peint, de colle PVA et de gouache. Non seulement la peinture ainsi obtenue est très bon marché, mais elle est en outre merveilleusement translucide. L'association peinture-éponge est par ailleurs intéressante parce que le fait d'appuyer sur l'éponge puis de la retirer accentue la texture qui résulte de l'emploi d'une peinture légèrement collante.

La mousse idéale pour découper vos blocs, doit être très dense mais douce, comme la mousse de tapissier. Elle doit mesurer au moins 2,5 cm d'épaisseur, car il faut pouvoir la tenir fermement sans modifier la surface d'impression.

Peignez quelques feuilles de papier brouillon de la couleur de votre mur, et faites des essais d'impression à l'éponge ; utilisez différentes densités et combinaisons de couleur, en notant les proportions de chaque mélange, afin de pouvoir pré-

parer une quantité suffisante de la même couleur pour décorer votre mur (cette méthode ne consomme, il est vrai, pas beaucoup de peinture). Le fond présenté ici a été peint selon la méthode de vernissage teinté à la brosse décrite page 16.

FOURNITURES

Papier quadrillé, si nécessaire
Chutes de mousse de tapissier
Stylo feutre
Cutter
Fil à plomb
Carré de papier mesurant 15 x 15 cm,
ou une autre mesure en fonction de
l'espacement que vous avez choisi
Colle à papier peint
Colle PVA
Gouache ou aquarelle prête à l'emploi
coloris vert Véronèse, outremer
et blanc cassé
Soucoupe
Vernis mat incolore (optionnel)

1

Photocopiez ou tracez le motif de la rubrique Patrons sur un carton et découpez les formes de façon à obtenir un pochoir. Reportez le motif sur la mousse avec un stylo feutre.

2

Découpez les formes avec un cutter bien tranchant : coupez d'abord le contour, puis écartez légèrement la mousse et coupez en profondeur.

3

Fixez le fil à plomb dans un angle, à la jonction plafond-mur. Tournez ensuite le carré de papier en diagonale et glissez-le sous le fil à plomb en alignant les coins inférieur et supérieur du carré avec le fil. Marquez les angles du carré au crayon sur le mur. Faites glisser le carré le long du fil à plomb, en marquant les coins à chaque fois. Déplacez ensuite le fil à plomb latéralement. Poursuivez ainsi jusqu'à ce que le mur entier soit marqué de points de repère.

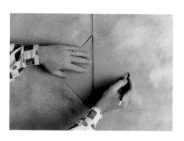

4

Mélangez la colle à papier peint et l'eau en suivant les instructions du fabricant. Ajoutez de la colle PVA en proportion de 3 volumes de colle à papier peint pour 1 volume de colle PVA. Ajoutez une giclée de gouache vert Véronèse et une de bleu outremer et mélangez bien. Faites un essai de couleur sur du papier brouillon, et rectifiez si besoin est.

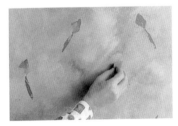

5

Mettez un peu de peinture dans la soucoupe et trempez-y la première éponge. Imprimez le motif avec un léger mouvement de rotation. Soulevez l'éponge et imprimez le motif suivant, en vous servant des points de repère au crayon.

6

Avec la deuxième éponge, complétez le motif de la brindille en ajoutant des feuilles, en faisant légèrement varier la position de celles-ci pour mettre un peu de vie dans le décor.

7

Avec l'éponge ronde et la peinture blanc cassé, complétez le motif en imprimant des baies. Imprimez parfois ces baies par-dessus les feuilles ou les tiges, et laissez-en aussi « flotter » quelques-unes par-ci par-là. Si vos murs doivent être exposés à la vapeur ou aux éclaboussures, ou à des traces de doigts, protégez-les en passant une couche de vernis incolore mat.

Parquets blanchis

*Le fait de « blanchir » un parquet poncé donne une impression beaucoup plus douce qu'un parquet c
ou vitrifié. Cet aspect évoque les tables de cuisine en pin bien brossées, les spatules en bois délavées o
bois flotté décoloré par le soleil et la mer. Si vous avez la chance de pouvoir poncer votre plancher,
essayez la méthode facile que nous vous proposons plutôt qu'un blanchissage traditionnel à la chau.
qui est une opération très longue. Vous avez ensuite le choix entre un parquet blanchi traditionnel
couleur blanc cassé, ou un parquet teinté d'un ton pastel quelconque.*

En frottant le parquet dans le sens du grain avec une brosse métallique, non seulement vous le débarrassez de tout résidu de vernis ou de cire, mais vous creusez aussi les sillons dans lesquels la peinture va s'engouffrer. Si vous souhaitez que le grain du bois ressorte le plus possible, passez un chiffon humide sur le bois avant que la peinture ne sèche. Une fois le parquet sec, une couche de vernis acrylique fixera la couleur.

FOURNITURES

*Brosse métallique
Peinture émulsion blanche
Peinture acrylique terre de Sienne
Grand spalter
Chiffon propre humide
Vernis incolore mat*

1

Avec une brosse métallique, brossez bien
parquet en suivant toujours le sens du gra
Balayez le sol et passez l'aspirateur.

2

Préparez le badigeon en mélangeant
3 volumes d'eau pour 1 volume d'émulsion.
Teintez le mélange avec de la peinture
acrylique terre de Sienne ou, si vous préférez,
une couleur pastel (du rose, du bleu, du vert
ou du jaune peuvent être du meilleur effet
suivant le cas, et la couleur apparaît peu de
toute façon). Faites des essais sur un morceau
de planche non utilisé.

3

Appliquez le badigeon avec le spalter, en
commençant dans un coin et en suivant le
sens du bois jusqu'à l'autre extrémité.

4

Avec un chiffon humide, essuyez tout exc
de peinture pour faire ressortir le grain. N
mouillez pas trop votre chiffon, vous
risqueriez d'enlever toute la peinture !
Lorsque le plancher est parfaitement sec,
appliquez plusieurs couches de vernis pou
protéger la surface et la rendre imperméab
en laissant bien sécher chaque couche.

Plancher en Isorel avec dhurrie en trompe-l'œil

Tous les appartements ne possèdent malheureusement pas de beaux parquets auxquels on puisse donner un beau lustre doré avec un bon ponçage et quelques couches de cire. La plupart des maisons anciennes ont un assortiment de planchers plus ou moins récents qui ne présentent aucun intérêt décoratif.

Si vous rencontrez le double problème de planchers de mauvaise qualité et d'un petit budget, l'Isorel peut s'avérer une solution étonnamment gratifiante. L'Isorel est généralement utilisé pour mettre le sol à niveau avant de le recouvrir d'un revêtement de sol en vinyle. Utilisé en tant que tel et décoré au pochoir, il peut cependant avoir beaucoup de classe.

Pour contrecarrer la monotonie potentielle d'une grande surface d'Isorel, nous vous proposons ici de peindre un dhurrie en trompe-l'œil au centre de la pièce, de telle sorte que l'Isorel nu en devient le cadre. L'Isorel offre en effet une merveilleuse surface bien lisse, très agréable à peindre. En outre, le dhurrie deviendra le centre d'intérêt de la pièce ... et vraisemblablement un sujet de conversation !

FOURNITURES

Papier journal
Isorel (de quoi couvrir le sol)
Petit marteau
Pointes
Cutter
Règle
Mètre ruban
Peinture émulsion coloris bleu-gris,
bleu céruléen et crème
Brosse plate de 2,5 cm
Peinture acrylique noire et bleu foncé
Spalters
Ruban adhésif
Carton à pochoir ou Mylar
Brosse à pochoir de 2 cm
Vernis incolore mat

1

Posez des feuilles de papier journal sur le sol pour obtenir une surface plane bien régulière. Placez la première plaque d'Isorel sur le plancher existant, dans le coin le plus proche de la porte, et fixez-la avec des pointes plantées à 7,5 cm l'une de l'autre et à 1,5 cm du bord de la plaque.

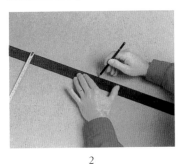

2

Placez la deuxième plaque d'Isorel à côté de la première, en la calant bien sur la première et sur la plinthe. Continuez à couvrir le sol avec les plaques entières jusqu'à ce que vous soyez obligé de les retailler pour terminer. Mesurez l'espace restant au moins deux fois ; s'il est très grand ou de forme irrégulière, faites un gabarit en papier journal pour être sûr de ne pas vous tromper. Découpez la plaque d'Isorel en utilisant un cutter et une règle métallique sur le côté brillant, puis en cassant la plaque le long de l'entaille.

3

Si vous décidez de placer votre dhurrie au centre de la pièce, déterminez la ligne médiane avec un mètre ruban puis mesurez le « tapis » en partant de là. Le dhurrie peut être de la taille que vous voulez. Le modèle que nous vous proposons est réalisé à partir d'unités de 150 × 75 cm, que vous pouvez multiplier ou diviser en fonction de la taille de votre pièce. Marquez donc le contour du dhurrie sur le sol au crayon puis, avec la brosse plate, peignez l'intérieur du cadre en bleu-gris. Laissez sécher.

4

Foncez un peu le bleu-gris en ajoutant une giclée de peinture acrylique noire, puis repassez une couche avec une brosse presque sèche pour donner au dhurrie une texture laineuse.

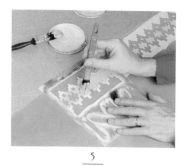

5

Couvrez les bords de ruban adhésif. Tracez puis découpez le pochoir avec le modèle de la rubrique Patrons. Placez le pochoir à 2 cm du bord et peignez le motif central avec l'émulsion bleu céruléen. Retirez le ruban adhésif et nettoyez le pochoir.

6

Masquez maintenant le motif central et réalisez de part et d'autre le motif de bordure avec l'émulsion crème.

7

Positionnez le pochoir du médaillon le long de la bordure et peignez tous les motifs, à l'exception des lignes extérieures, avec la peinture acrylique bleu foncé. Vous pouvez éventuellement masquer ces lignes avec du ruban adhésif, comme dans les deux étapes précédentes.

8

Masquez le médaillon central et peignez le contour en crème.

9

Adoucissez le bleu foncé des médaillons avec quelques touches d'émulsion bleu céruléen.

10

Appliquez au moins deux couches de vernis incolore sur l'ensemble du sol.

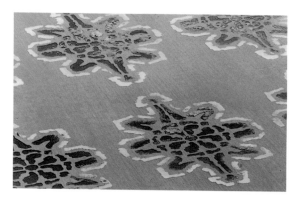

Sol en dalles de liège posées en damier

Le liège est un matériau naturel merveilleux qui permet de réaliser un sol chaleureux, silencieux et relativement bon marché. S'il a longtemps été réservé pour les cuisines et les salles de bain, nous vous conseillons tout de même de ne pas l'oublier lorsque vous choisirez le revêtement du sol de votre salon.

Comme il est important de poser les dalles de liège sur une surface plane, nous vous conseillons de commencer par recouvrir le sol de votre pièce avec des plaques d'Isorel. Choisissez toujours des dalles de liège de qualité supérieure. Les dalles non vitrifiées que nous avons utilisées ici ont bien absorbé le vernis teinté que nous leur avons appliqué. Deux couches de vernis incolore satiné à base de polyuréthane protègent ensuite le sol.

FOURNITURES

Dalles de liège
Teinture à bois coloris « Chêne patiné foncé » et « Pin antique »
Gros spalter
Adhésif spécial pour dalles de liège, si besoin est
Vernis incolore satiné

1

Peignez la moitié des dalles de liège avec la teinture à bois « Chêne patiné foncé » et les autres avec la teinture « Pin antique ». Laissez sécher une nuit. Mesurez la longueur de la pièce et calculez le nombre de dalles « Chêne » nécessaires. Coupez-en la moitié en deux dans la diagonale. Commencez à poser les dalles en partant du coin le plus en vue ; ainsi, si vous devez recouper une dalle à l'autre bout, cela ne se remarquera pas trop.

2

Placez ensuite les dalles de l'autre couleur en les calant bien contre la première rangée. Retirez tout excès de colle qui ressort entre les dalles si vous n'avez pas choisi des dalles auto-adhésives. Une fois les deux rangées posées, mesurez le mur adjacent et coupez le nombre de demi-dalles nécessaire pour longer cette plinthe. Collez-les.

3

Il s'agit maintenant de recouvrir toute la surface du sol en diagonale. Recoupez les dalles au niveau du mur opposé de façon qu'elles épousent bien la plinthe. Appliquez deux couches de vernis pour imperméabiliser le sol. Laissez sécher la première en profondeur, donc une nuit, avant de passer la seconde couche.

Bordure de feuilles de chêne

Une bordure peinte permet d'égayer un parquet uni, tout en reliant les différentes parties de la pièce sans l'écraser pour autant. Vous pouvez bien sûr ajuster les proportions du motif en fonction de la taille de votre pièce, mais essayez de voir grand et de faire en sorte que le dessin soit au moins quatre fois plus gros que l'original dans la nature pour que l'effet soit garanti.

Glands et feuilles de chêne sont utilisés depuis des siècles en décoration intérieure, notamment dans le style campagnard. Le célèbre écrivain, peintre et décorateur anglais William Morris, ennemi du goût victorien et ardent défenseur de la revalorisation de la production artisanale dans le domaine de la décoration, prônait également le retour aux formes inspirées par la nature. On retrouve de fait de nombreux arbres et plantes dans ses créations, dont les glands, motif d'un superbe papier peint de son cru. Avec cette décoration peinte à la main, votre salon n'en sera que plus chaleureux et nul doute que vous vous porterez comme un chêne !

Peignez le fond d'une couleur sombre, avec une peinture mate, le contour de votre motif ressortira mieux que sur une peinture satinée ou brillante. Commencez par les coins et progressez vers le centre, en vous basant sur les gabarits pour calculer l'espacement des motifs. Une fois la disposition des éléments déterminée, travaillez sur une longueur de 60 cm à la fois, en peignant les courbes en utilisant votre bras dans sa totalité, et pas seulement le poignet. Votre peinture aura ainsi l'air plus souple, plus naturelle.

FOURNITURES

Carte de force moyenne
Adhésif en vaporisateur ou vernis adhésif pour pochoir
Cutter
Ruban adhésif
Règle
Équerre à dessin
Peinture coloris noir d'ivoire
Spalter
Crayon de suif blanc ou craie
Assiette blanche
Gouache jaune, terre de sienne, terre d'ombre, etc.
Brosse souple à tableaux
Planche ou longue règle
Pinceau spécial pour tracer des lignes
Vernis incolore mat

2

En partant d'un coin, dessinez le contour du gabarit de la feuille de chêne avec le crayon de suif ou la craie. Ajoutez des tiges ou des glands pour compléter l'angle, puis continuez le long de la bordure. Servez-vous du gabarit pour mesurer l'espacement entre deux motifs.

1

Agrandissez le motif de feuille de chêne et de gland de la rubrique Patrons à l'aide d'une photocopieuse de façon à obtenir un dessin au moins quatre fois plus grand que la taille réelle. Collez l'agrandissement sur une carte de force moyenne et découpez le motif avec un cutter pour confectionner un gabarit en carton. Avec du ruban adhésif, une règle et une équerre, délimitez la bande à peindre en noir. Appliquez la peinture avec le spalter et laissez sécher.

3

Prenez une assiette blanche en guise de palette, et versez dessus différents tons de jaune, de brun, etc. Mélangez-les au fur et à mesure que vous peignez pour ajouter un peu de variété.

4

Peignez les feuilles de chêne en jouant
sur de subtiles variations de couleur
pour améliorer l'effet.

5

Ajoutez les touches finales
(nervures, tiges, glands).

6

A l'aide d'une longue règle ou d'une
planche, tracez les deux lignes qui servent de
cadre à la bordure, à 2,5 cm du bord de la
bande noire environ. Appliquez enfin trois
ou quatre couches de vernis incolore, en
laissant bien sécher chaque couche (une nuit
si possible) avant de passer la suivante.

Tapis en toile peinte

Ce sont les premiers colons américains qui lancèrent la mode de ces tapis en toile. Ils recyclaient ainsi, en fait, les voiles des navires qui leur avaient permis de franchir l'océan. Ils les peignaient de façon à imiter les tapis d'Orient qu'affectionnaient tant les riches marchands et les aristocrates de leurs pays d'origine. Plusieurs couches d'huile de lin étaient ensuite appliquées sur la toile peinte pour la rendre imperméable et très résistante.

Les tapis en toile ont été remplacés par le linoléum, aussi en restent-ils très peu d'exemplaires d'époque. Comme ils n'avaient aucune valeur intrinsèque, on les jetait une fois usés. Ils connaissent toutefois aujourd'hui un certain regain de popularité. Avec les vernis résistants dont nous disposons aujourd'hui, ils fournissent en fait une alternative originale à l'éternel tapis d'Orient que l'on voit partout.

Le motif de ce tapis en toile est inspiré de celui d'une couverture en patchwork du dix-neuvième siècle intitulé « Le soleil, la lune et les étoiles ». Celle-ci était réalisée avec des couleurs primaires très vives, mais nous vous conseillons plutôt des teintes plus douces pour le tapis en toile.

FOURNITURES

*Cutter ou paire de bons ciseaux
Toile à peindre épaisse (à commander dans un magasin spécialisé dans l'artisanat et les beaux arts)
Crayon
Règle
Toile adhésive résistante
Punaise et 1 mètre de ficelle
Carton
Peintures acryliques rouge, bleu et vert
Spalter de taille moyenne
Pinceau fin de taille moyenne
Vernis coloris « Pin antique »
Papier de verre moyen
Brosse ou pinceau ordinaire*

1

Découpez la toile de la taille souhaitée, en prévoyant 4 cm de marge tout autour. Tracez une bande de 4 cm tout autour de la toile et biseautez les coins. Appliquez de la toile adhésive sur la bordure et repliez-la.

2

Conformément au diagramme de la rubrique Patrons, déterminez le centre de la toile, plantez-y la punaise à laquelle vous attachez la ficelle. Tracez les cinq cercles dont vous avez besoin pour votre dessin, en tenant le crayon à diverses longueurs de ficelle. Maintenez celle-ci bien tendue pour dessiner des cercles parfaits.

3

Découpez trois triangles en carton de taille différente pour réaliser les bordures en dents de scie de deux des cercles, et la bordure extérieure. Dessinez ensuite les triangles en faisant glisser le crayon le long des gabarits.

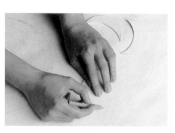

4

Découpez un cercle en carton pour faire un gabarit pour les pleines lunes et reportez-en le contour. Recoupez ensuite le cercle pour faire le croissant de lune, et reportez-le sur la toile. Procédez de même pour les étoiles.

5

Commencez maintenant à peindre les motifs
rouges. Servez-vous de la brosse plate pour
les grandes surfaces et du pinceau fin pour
les contours et les finitions.

6

Peignez ensuite les cercles bleus et verts.

7

Appliquez 3 ou 4 couches de vernis « Pin
Antique » avec un pinceau propre. Poncez
chaque couche au papier de verre, une fois
qu'elle a séché, avant de passer la suivante.
Laissez sécher chaque couche une nuit.

Mobilier

Les meubles peints à la main font partie intrinsèque
du décor campagnard. Toutefois, à moins que vous
n'ayez la chance d'hériter de quelques belles pièces
de famille, ils restent souvent du domaine du rêve.
Vous avez, il est vrai, toujours la possibilité de faire
une bonne affaire dans une brocante ou sur un marché
aux puces, que vous pourrez ensuite transformer à peu de
frais. C'est dans cet esprit que nous allons maintenant
vous proposer de rénover une table en lui ajoutant
une bordure colorée, d'égayer une chaise de cuisine,
de créer vos propres étagères ou de décorer un buffet.

Motifs campagnards

Parmi les trois grandes sources d'inspiration pour la décoration de style campagnard (la nature, les traditions locales et la religion), c'est la première, que l'on retrouve dans la décoration des foyers ruraux du monde entier, qui exerce les influences les plus marquées. Si les feuilles et les fleurs varient avec le climat, et donc dans les motifs, certaines espèces (les plantes grimpantes notamment) servent de modèles depuis l'antiquité. Il existe donc des valeurs quasi universelles qui inspirent depuis fort longtemps des artistes issus de cultures très diverses.

Bon nombre de fruits, de fleurs et de feuillage ont en outre une signification symbolique. Ces motifs sont donc entrés dans la maison pour la protéger contre le mal, ou pour porter bonheur. Ainsi, la rose est généralement utilisée pour symboliser l'amour, aussi bien terrestre que divin, et la tulipe, la prospérité. La feuille de chêne et le gland sont associés à un grand potentiel et à un avenir prometteur, tandis que le lierre évoque la ténacité. Le tournesol, imprégné de soleil, est censé pour sa part apporter un peu de chaleur par les froides journées d'hiver.

On trouve également des motifs inspirés par la faune. Bêtes sauvages, animaux domestiques, amis fidèles de l'homme, poissons et oiseaux ont tous été représentés un jour ou l'autre dans l'artisanat populaire. Ainsi, le coq est depuis les débuts de la chrétienté le

CI-DESSUS : *La tulipe, symbole de la prospérité, est un motif de décoration très populaire.*

symbole de la foi. C'est néanmoins surtout pour sa silhouette et son plumage très décoratifs, ainsi qu'en hommage à sa tyrannie matinale, qu'on le retrouve si souvent dans les décorations campagnardes.

Les chats et les chiens, de même que les chevaux et autres familiers des cours de ferme, ornent souvent peintures et broderies. Les couvertures en patchwork présentent les animaux et les fruits dont la représentation stylisée est du meilleur effet, et ce sont ces motifs qui inspirent aujourd'hui à leur tour de nombreux pochoirs.

Les influences religieuses sont essentiellement sensibles dans les pays de tradition catholique, où l'on met davantage l'accent sur la célébration visuelle de la foi. Reliquaires, autels, décorations festives et ex-voto sont en effet des éléments de décoration courants dans les foyers ruraux de pays comme le Mexique, l'Espagne, l'Italie ou même la France.

A GAUCHE : *Le style campagnard se caractérise souvent par une décoration très minutieuse et détaillée, avec beaucoup de détails, comme ici ce coffre peint à la main.*

A DROITE : *On retrouve ici un grand classique, le cœur, appliqué de façon répétitive sur ce patchwork.*

Quant aux motifs évoquant les moissons, comme la gerbe de blé ou la corne d'abondance, ils sont populaires dans de nombreuses civilisations. De même, on trouve des motifs de fruits dans les textiles, et les légumes sont l'un des thèmes de prédilection de la peinture au pochoir pratiquée dans l'art populaire américain.

L'un des motifs les plus courants du style campagnard est le cœur. Qu'il soit martelé sur du métal, évidé sur une planche ou peint au pochoir sur les murs ; le cœur est omniprésent. Ce motif simple, facile à adapter, symbolise bien sûr l'amour. Si sa forme ne change pratiquement pas, il est utilisé de mille et une façons depuis des siècles dans de très nombreuses cultures. Pourtant, il semble qu'il existe encore une infinité de solutions pour renouveler son emploi.

Les formes géométriques ont été elles aussi empruntées aux couvertures en patchwork, tandis que le soleil, la lune et les étoiles resteront toujours des motifs populaires et universels.

Ce qui fait en fait la beauté du style campagnard, c'est la possibilité avec laquelle il est possible de mélanger les motifs, les styles et les thèmes. Les seuls ennemis à éviter sont les versions commerciales de l'artisanat populaire, aujourd'hui produites en masse, ce qui perd alors tout son intérêt. Fuyez ces imitations comme la peste !

DE GAUCHE A DROITE, EN PARTANT DU HAUT : *Une peinture au pochoir donne à cette chaise un air très campagnard. Les motifs géométriques sont toujours très populaires pour décorer les tissus. Moule métallique en forme de cœur décoré avec des motifs géométriques. C'est dans la nature qu'il faut chercher l'inspiration des motifs peints à la main qui ornent ce coffret.*

Table peinte

Dieu merci ! on trouve encore des bonnes affaires dans les brocantes. Cette table a coûté moins d'un dixième du prix d'une neuve. C'est le type de table que l'on imagine très bien dans le salon d'un cottage anglais, ornée d'une nappe en dentelle et couverte de petits gâteaux maison pour accompagner le thé. Il y a peu de chance que vous trouviez la même, mais rassurez-vous : n'importe quelle vieille table peut être décorée ainsi.

Avant de vous lancer dans la décoration de votre table, vous serez peut-être obligé de la décaper pour éliminer toute trace de vernis ou d'ancienne peinture, puis de la traiter contre les vers de bois. Tous les trous importants doivent être rebouchés, puis polis au papier de verre et teintés pour uniformiser la couleur. Les plateaux de table anciens sont bien plus intéressants que les neufs et, même s'il faut les poncer, les décolorer et les teinter, le jeu en vaut bien la chandelle.

La teinture utilisée pour les pieds contraste bien avec les peintures rouge et vert du plateau. Vous pouvez peindre la bordure à main levée, mais la tâche est beaucoup plus facile en collant du ruban adhésif pour marquer les limites.

FOURNITURES

Table
Teinture à bois coloris
« Chêne patiné foncé »
Spalter
Peinture émulsion rouge et vert
Brosse plate à tableaux de 1 cm
Gomme laque
Cire d'abeille
Chiffon doux propre

1

Préparez et traitez la table si besoin est. Avec un chiffon, passez la teinture sur les pieds de la table, en en rajoutant au fur et à mesure que le bois l'absorbe. Le fini doit être d'un ton régulier, presque noir.

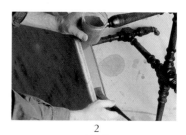

2

Peignez la base du plateau avec de la peinture émulsion rouge.

3

Collez du ruban adhésif à 5 cm du bord, tout autour de la table. Laissez un espace de 2 cm puis collez un deuxième morceau de ruban adhésif parallèle au premier.

4

Peignez l'espace compris entre les deux morceaux de ruban adhésif avec la peinture verte et laissez sécher.

5

Appliquez deux couches de gomme laque sur
le plateau de la table.

6

Passez enfin une couche de cire d'abeille
et faites-la pénétrer avec un chiffon
doux propre.

Coffre peint

Avant le dix-huitième siècle, dans toute l'Europe du nord et la Scandinavie, la mariée apportait dans son nouveau foyer son propre coffre à linge. Ce coffre était généralement façonné par son père, qui sculptait et décorait avec amour ce cadeau d'adieu à sa fille. Les traditions liées au mariage étaient alors à l'origine de bien des artisanats de la campagne, et la famille était fière de donner à sa fille un beau coffre en guise de dot. Cette coutume a d'ailleurs été reprise par les premiers colons en Amérique du Nord.

Le coffre utilisé ici témoigne d'influences venues d'Europe mais aussi du Nouveau Monde. En effet, la forme est anglaise, mais la décoration peinte a été inspirée par un vieux coffre de mariage américain. Le motif retenu est géométrique, mais le fini de peinture a été appliqué tout en douceur, pour offrir un contraste entre deux styles opposés. Vous pouvez reprendre ce motif pour décorer n'importe quel coffre, récent ou non, puis lui donner une patine ancienne avec un vernis teinté.

C'est le tracé précis du motif qui prend le plus de temps, mais il est essentiel de respecter les proportions. Quant au passage du peigne et à la réalisation des « pois » à l'aide d'un chiffon humide, il convient de faire vite pour donner un effet de chaos complet.

FOURNITURES

Coffre à couvertures
Gomme laque, si besoin est
Peinture émulsion bleu gris et crème
Brosses
Papier quadrillé
Compas
Règle
Vernis acrylique coloris « Pin antique »
Peigne triangulaire
Chiffon propre humide

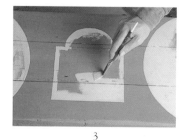

__1__

Si vous partez d'un coffre en bois brut, passez avant tout une couche de gomme laque.

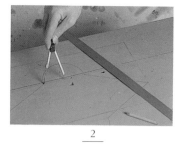

__2__

Peignez le coffre avec la peinture bleu-gris. Décalquez le motif à l'aide du modèle de la rubrique Patrons, puis agrandissez-le et servez-vous de ce gabarit pour positionner les décorations. Reproduisez les motifs avec le compas et la règle.

__3__

Peignez tous les motifs avec la peinture émulsion crème.

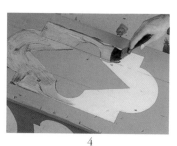

__4__

Appliquez une épaisse couche de vernis sur un seul des motifs.

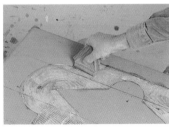

—5—

Appliquez rapidement le vernis en suivant la forme du motif, pour lui donner une texture intéressante. Pour ce faire, passez le peigne d'un mouvement souple, puis essuyez-le pour que le vernis ne s'agglutine pas. Terminez un motif avant d'en commencer un autre en reprenant les étapes 4 et 5.

—6—

Passez une couche de vernis sur la totalité du coffre. Prenez immédiatement un chiffon à peine humide, formez une petite boule et tamponnez le coffre pour retirer le vernis par endroits suivant un motif à pois.

Banc peint

Il devrait y avoir un banc comme celui-ci dans chaque maison, sur lequel les invités surprise pourraient s'entasser ou que l'on pourrait installer dans l'entrée pour pouvoir retirer ses bottes confortablement. Ce modèle a été fabriqué par un menuisier à partir d'une photo trouvée dans un ouvrage sur le mobilier campagnard d'autrefois. Il a utilisé de vieilles lames de parquet, et ce bois de récupération donne au banc un air rustique qui lui va parfaitement.

Le banc a ensuite été décoré dans le plus pur style populaire, ce qui ajoute une touche d'humour. Vous pouvez peindre ainsi n'importe quel banc, et un modèle moderne aux lignes bien nettes perdra même un peu de sa rigueur avec ce décor fantaisiste.

FOURNITURES

Banc	*profond, gris-bleu foncé*
Papier de verre moyen	*et bleu-vert clair*
Gomme laque	*Petit morceau d'éponge*
Brosses	*Vernis : coloris « Pin antique »*
Peinture émulsion rouge	*Vernis incolore mat*

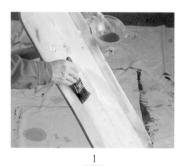

1

Poncez le bois brut au papier de verre et passez une couche de gomme laque.

2

Peignez les pieds du banc en bleu-gris, sans passer d'apprêt.

3

Peignez le siège en rouge profond.

4

Peignez avec l'éponge un motif régulier de pois bleu-vert sur toute la surface du siège.

5

Lorsque la peinture est sèche, frottez les pieds et le siège avec du papier de verre, pour simuler l'usure causée par des centaines de repas, fin de moissons, ou autres agapes.

6

Appliquez ensuite une couche de vernis « Pin antique » sur l'ensemble du banc, et enfin deux couches de vernis incolore mat pour parfaire le fini rustique.

Portemanteau d'inspiration Shaker

Les Shakers étaient un mouvement religieux dont les idéaux ont inspiré un style d'ameublement très sobre, avec de très belles formes. Ils ne voyaient pas l'intérêt de la décoration en tant que telle mais pensaient que les objets fonctionnels devaient être aussi beaux et bien faits que possible. Le nom des Shakers (parfois appelés Trembleurs en français) vient des mouvements d'extase qui ponctuaient leurs rituels.

Le portemanteau que nous vous présentons ici est inspiré des moulures caractéristiques des intérieurs des Shakers. Elles couraient le long de tous leurs murs et ils s'en servaient pour suspendre toutes sortes d'ustensiles, voire des chaises, afin de ne pas encombrer le sol. Le modèle que nous vous proposons de réaliser est bon marché et, s'il n'est pas très ouvragé, il n'en est que plus pratique. Nous avons utilisé une planche en pin et un manche à balai, scié pour confectionner les patères. Ce type de portemanteau sera apprécié dans toute la maison. La peinture n'est pas strictement de style Shaker, mais elle permet de camoufler les humbles origines de l'objet.

FOURNITURES

*Planche en pin
de 2,5 cm d'épaisseur
Règle
Scie
Rabot
Perceuse et foret pour creuser
les trous dans lesquels on
fixera les patères
1 ou 2 manches à balai
Papier de verre moyen*

*Colle à bois
Bloc de bois et marteau
Gomme laque
Brosses et pinceaux
Peinture émulsion bleu gris
Vernis coloris « Pin Antique »
White Spirit, si besoin est
Niveau à bulle
Chevilles et longues vis*

1

Mesurez et coupez le bois à la longueur désirée. Rabotez-le de façon à obtenir une planche bien lisse, aux bords arrondis.

2

Marquez l'emplacement des patères, en les espaçant de 20 cm par exemple. Vous pouvez en modifier l'écartement selon vos besoins.

3

Percez des trous de 1,5 cm de profondeur dans lesquels vous pourrez enfoncer les patères.

4

Sciez le manche à balai en morceaux de 13 cm de long. Poncez les extrémités pour arrondir les angles.

5

Appliquez de la colle à bois et enfoncez bien les patères dans les trous à l'aide d'un petit bloc de bois et d'un marteau.

6

Passez une couche de gomme laque pour protéger la surface du bois.

7

Peignez la planche en bleu.

8

Avec du papier de verre, poncez les bords pour retrouver le bois nu.

9

Passez l'ensemble au vernis « Pin antique ». Retirez une partie du vernis avec du White Spirit (s'il s'agit de vernis au polyuréthane) ou de l'eau (s'il s'agit de vernis acrylique). Marquez l'emplacement du portemanteau sur le mur. Percez des trous dans la planche à 40 cm d'intervalle puis dans le mur, et fixez le portemanteau avec des chevilles et les vis appropriées.

Chaise peinte et surlignée

*N'hésitez pas à acheter des chaises intéressantes lorsque vous les repérez, d'autant plus
qu'elles sont généralement très bon marché si elles ont besoin d'être rafraîchies.
Quatre chaises dépareillées peintes de la même façon feront un ensemble plein de charme,
du plus pur style campagnard.*

Voici une chaise paillée française typique,
dont les lignes courbes ne demandent
qu'à être accentuées avec un surlignage.
Les caractéristiques essentielles (confort
et solidité) n'ont pas été négligées, l'as-
sise est bien généreusement paillée et très
confortable. (Asseyez-vous toujours sur
une chaise avant de l'acheter parce qu'elle
a peut-être été faite sur mesure pour une
personne dont le corps était très différent
du vôtre !).

La couleur a le pouvoir de redonner de la
vitalité à un objet un peu triste. Nous
avons ici choisi du jaune et du bleu en
souvenir de la cuisine de Monet à
Giverny. La préparation du bois prend du
temps, surtout s'il faut décaper plusieurs
couches de peinture ou de vernis, mais
vous ne regretterez pas cette étape. Si
vous faites faire ce travail par un profes-
sionnel, n'oubliez pas de recoller les
assemblages, car le décapant caustique
qu'ils utilisent dissout la colle aussi bien
que la peinture.

FOURNITURES

Chaise de style rustique
Papier de verre moyen
Impression
Brosses et pinceaux
Gomme laque et apprêt, si nécessaire
Peinture satinée pour bois jaune
Tampon en laine d'acier
Crayon à mine dure
Tube de peinture à l'huile bleu outremer
White Spirit
Spalter à poils longs
Vernis coloris « Pin Antique »

1

Si la chaise n'a pas été décapée, poncez-la
avec du papier de verre à grain moyen, puis
appliquez l'apprêt. Si elle a été décapée,
passez une couche de gomme laque,
puis d'impression. Peignez ensuite en jaune.

2

Une fois la peinture sèche, frottez les bords
avec un tampon de laine d'acier, à l'endroit
où l'usure naturelle se serait produite.
Dessinez le surlignage au crayon en suivant
les courbes de la chaise.

3

Mélangez la peinture à l'huile avec du White
Spirit (3 volumes de peinture pour 1 volume
de White Spirit). Il faut que la peinture
coule bien du pinceau pour que vous puissiez
maîtriser votre geste. Si vous avez
l'impression que votre mélange est trop
dilué, rajoutez de la peinture à l'huile.
Exercez-vous à peindre des lignes courbes sur
une feuille de papier ou une planche, en
soutenant la main qui tient le pinceau de
l'autre main. En effet, pour réussir votre
décor, vous devez être sûr de vous ; or, la
confiance vient avec la pratique. Lorsque
vous vous sentez prêt, peignez le surlignage
sur les pieds, le dossier et le siège de la
chaise.

4

Une fois le surlignage sec, frottez certains
endroits avec le tampon en laine d'acier,
comme vous l'aviez fait pour
la peinture jaune.

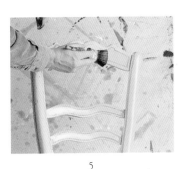

5

Appliquez enfin une couche ou deux
de vernis pour adoucir la couleur et protéger
le surlignage.

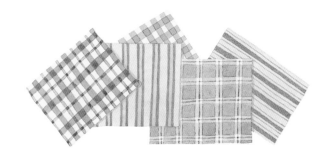

« Coffres-forts à gâteaux »

Les placards de ce type servaient essentiellement aux États-Unis à faire refroidir les pâtisseries qui sortaient du four. Les portes consistaient en plaques de métal martelées et perforées de façon décorative, qui laissaient filtrer de délicieux arômes tout en empêchant les mouches d'entrer. On les appelait « coffres-forts » parce qu'ils étaient dotés de serrures pour que les gâteaux soient à l'abri des petites mains guidées par des odeurs si tentantes...

Pour réaliser ce « coffre-fort à gâteaux », nous avons utilisé un vieux placard en pin sur lequel nous avons remplacé les portes en bois par des panneaux en métal martelé. On se procure les plaques de métal chez un tôlier ou dans une quincaillerie. Faites attention car les bords sont très coupants. Or, il convient de les replier (avec des pinces par exemple) pour fixer les plaques correctement.

Quant à la décoration, elle est effectuée avec un clou et un marteau ou, pour un travail plus linéaire, avec un petit burin. Le motif que nous vous proposons ici est notre propre version d'un dessin traditionnel. N'hésitez pas à laisser parler votre propre style. Peut-être allez-vous trouver d'autres façons de façonner le métal, avec la pointe d'un tournevis par exemple. Si le placard doit être utilisé dans une cuisine, ajoutez une plaque à pâtisserie en guise de protection derrière la plaque métallique décorée, pour recouvrir les bords coupants. Enfin, si vous n'aimez pas l'éclat du métal poinçonné, frottez-le avec du vinaigre.

FOURNITURES

Vieux placard avec une ou deux portes à panneaux
Papier quadrillé
Papier de verre à grain moyen
Gomme laque, si besoin est
Tôle de 24 ou 26 de la dimension nécessaire (prévoyez 1 cm de marge tout autour pour les joints)
Pinces et cisailles, si besoin est

Ruban adhésif
Compas ou papier carbone
Crayon de suif
Marteau
Sélection de différents clous, tournevis et burins
Support (Isorel par exemple)
Pointes
Vernis coloris « Pin Antique »
Brosse ou pinceau ordinaire

1

Retirez les éventuelles baguettes et dégagez les panneaux d'origine des portes du placard. Mesurez l'espace libéré et préparez le motif sur du papier quadrillé en fonction des dimensions. Poncez le placard au papier de verre. S'il a été décapé, passez une couche de gomme laque. Découpez la plaque de métal, et repliez-en les bords coupants pour faire un rebord de 1 cm environ tout autour. Rabattez-le fermement avec des pinces. Collez du ruban adhésif sur les bords coupants pour éviter les accidents.

2

Reportez votre motif sur la plaque métallique à l'aide d'un compas. Si cela vous paraît délicat, dessinez tout le motif sur un papier et reportez-le sur le métal avec du carbone. Complétez le motif avec le crayon de suif.

3

Entraînez-vous à poinçonner le métal sur le couvercle d'une boîte à biscuits par exemple. Mettez un carton épais, une serviette de toilette ou une couverture sous la plaque métallique pour absorber le bruit et protéger le plan de travail. Une fois que vous vous sentez à l'aise avec votre clou et votre marteau, ou tout autre outil que vous avez choisi, lancez-vous dans la décoration des panneaux de votre placard.

4

Fixez les panneaux, et éventuellement la plaque de protection, sur les portes et remettez la baguette en place. Pour ce faire, plantez des pointes espacées de 4 cm tout autour du panneau métallique.

5

Passez les bords du meuble au papier de verre pour simuler l'usure. Protégez enfin le bois avec une couche de vernis « Pin Antique ».

Étagère à crochets

Cette grande étagère à bandeau mural, dotée de crochets, est tout à fait à sa place dans une cuisine, un hall d'entrée ou une vaste salle de bains. Très facile à réaliser, elle ne nécessite que des bases enfantines et le maniement d'outils très simples en menuiserie. Peinte ou vernie suivant le bois utilisé, cette étagère est non seulement ravissante, mais aussi très pratique.

Le meilleur bois à utiliser est du pin de récupération, des lames de parquet par exemple. Les entreprises de démolition ou de construction ont généralement des quantités de bois, mais sachez que le vieux pin coûte plus cher que le neuf. Si vous ne voulez pas peindre votre étagère, cela vaut le coup d'acheter du bois ancien. Si vous envisagez de la peindre, prenez du bois neuf pour le bandeau mural, cela réduira le prix de l'ensemble.

Ce qui fait le charme de cette étagère, ce sont avant tout les deux consoles à la forme souple et généreuse copiée dans l'entrepôt d'une vieille ferme. Elles ont été découpées à la scie électrique dans une vieille porte en pin. Si les consoles latérales soutiennent l'étagère et équilibrent le poids, l'ensemble doit néanmoins être fixé dans un mur en brique sain, avec de longues vis en acier et des chevilles appropriées.

Ce type d'étagères est très courant dans les communautés rurales d'Europe de l'Est. Les patères ou crochets sont soit en bronze, soit en fer forgé. Quoi qu'il en soit, ils seront certainement cachés car le propre d'un crochet est d'attirer plus de choses qu'il n'était censé porter !

FOURNITURES

Papier quadrillé
Planche de pin de 34 X 18 X 3 cm
pour les consoles
Scie électrique
Perceuse avec forets nᵒˢ 5 et 6
Planche de pin de 100 X 15 X 2 cm
pour le bandeau mural
Planche de pin de 130 X 22 X 2 cm
pour l'étagère
Colle à bois
Vis à bois
Gomme laque
Brosse ou pinceau classique
Brosse plate de 2,5 cm
Peinture émulsion bleu-gris, vert d'eau et jade
Chiffon propre humide
Tampon de laine d'acier
Papier de verre à grain moyen
6 patères ou autres crochets
Chevilles, si besoin est
3 longues vis

1

Reproduisez le contour des consoles à partir du modèle de la rubrique Patrons et agrandissez-le de façon que le plus long côté mesure 33,5 cm. Reportez le gabarit sur le bois, en le calant dans un coin, puis retournez-le et reproduisez-le à nouveau dans le coin opposé. Prenez ensuite la perceuse et avec le foret nº 5, percez deux trous depuis le bandeau mural vers les consoles pour les assembler, puis de même depuis l'étagère vers les consoles. Étalez de la colle à bois sur tous les bords adjacents puis vissez-les avec des vis à bois.

2

Appliquez une couche de gomme laque à l'ensemble.

3

Avec la brosse plate de 2,5 cm, passez une couche d'émulsion bleu-gris.

4

Une fois la peinture sèche, passez une couche
de peinture vert d'eau.

5

Prenez immédiatement un chiffon propre
humique pour retirer la peinture par endroit.

6

Peignez les bords de l'étagère et des côtés
couleur jade.

7

Enlevez une partie de la peinture avec
le tampon de laine d'acier, ce qui fera
apparaître le grain du bois.

8

Passez ensuite du papier de verre à grain
moyen pour obtenir un fini bien lisse et
doux et faire ressortir le grain du bois. Vissez
les crochets. Fixez enfin l'étagère au mur en
perçant des trous à travers le bandeau mural
pour placer de longues vis à bois. Mettez, si
besoin est, les chevilles qui conviennent.

Buffet peint

S'il est un meuble qui caractérise le style campagnard dans l'esprit de la plupart des gens, c'est bien le buffet de cuisine. Il est vrai que la vue d'un solide placard bas surmonté d'une série d'étagères couvertes de vaisselle est assez irrésistible.

Si le buffet que nous avons décoré a été réalisé par un artisan local à partir de pin de récupération, vous pouvez facilement en confectionner un à partir d'une commode et d'un jeu d'étagères. L'essentiel est que les deux éléments soient équilibrés sur le plan visuel : la hauteur et la profondeur des étagères étant en harmonie avec les dimensions de la base. Vous pouvez relier les deux éléments, sans que cela se voie, à l'aide de montants en acier fixés au dos du meuble. La peinture achèvera de donner l'illusion d'un vrai buffet.

Pour obtenir ce fini délavé de la peinture, on a d'une part supprimé la couche d'apprêt, et d'autre part frotté le meuble au papier de verre et à la laine d'acier une fois la peinture sèche, de façon à faire ressortir le bois. Vous pouvez également décider de passer un peu de paraffine en certains endroits du bois avant de peindre : la peinture n'adhérant pas à la paraffine, ces endroits resteront bruts.

FOURNITURES

Buffet, ou placard bas
et jeu d'étagères
Gomme laque
Brosses et pinceaux
Peinture émulsion bleu-gris,

brique (optionnel) et crème
Papier de verre moyen
et laine d'acier
Bougie (optionnel)
Vernis coloris « Pin Antique »

1

Passez une couche de gomme laque
pour protéger le bois brut.

2

Peignez le buffet en bleu-gris en suivant
le sens du grain. Laissez sécher.

3

Si vous le voulez, vous pouvez passer de
la paraffine sur les bords du buffet avant
d'appliquer la seconde couche de peinture.

4

La paraffine va empêcher la seconde couleur
de peinture d'adhérer partout, ce qui créera
un fini irrégulier. Passez ensuite
la deuxième couleur.

_5_

Peignez le fond des étagères en crème,
en suivant toujours le sens du grain.

_6_

Lorsque la peinture a séché, frottez le meuble
avec de la laine d'acier et du papier de verre
pour faire ressortir le bois sur les bords,
afin de simuler l'usure.

_7_

Passez enfin une couche de vernis
« Pin Antique » sur l'ensemble du buffet
pour le protéger.

Détails
et Accessoires

De multiples petits détails viennent compléter l'intérieur
campagnard : des bougeoirs ou des chandeliers avec des
bougies en cire d'abeille, des étagères ornées de dentelle,
de rubans ou de cuir perforé ; des boîtes de couleurs vives
dans le garde-manger ; des paniers, des casseroles en
cuivre, des bouquets de fleurs séchées qui égayent
la cuisine. Voici quelques idées : simples à réaliser,
elles n'en transformeront pas moins votre décor.

Les finitions

Une fois que vous avez transformé votre maison en choisissant des finis de peintures, un mobilier et des revêtements de sol de style campagnard, le moment est venu d'ajouter les derniers détails. L'accumulation de ces « petits riens », qui donnent tant de personnalité à un intérieur, prend du temps et se fait petit à petit. Le problème consiste généralement à être au bon endroit au bon moment. Si vous disposiez d'un budget illimité, vous pourriez de toute évidence acheter tous les trésors d'artisanat dont vous rêvez et donner à votre demeure cette ambiance campagnarde qui vous plaît tant, mais vous passeriez néanmoins à côté d'un grand plaisir : celui de fabriquer vous-même vos propres accessoires.

Dans cette troisième partie, vous allez découvrir des projets qui conviennent à tous les talents et à toutes les compétences. Aussi, que vous soyez doué pour la couture, pour la menuiserie ou pour la peinture, vous allez trouver votre bonheur.

Un simple manche à balai peut servir à suspendre une collection de paniers, tandis que des découpages transforment un plateau tout ce qu'il y a de plus quelconque en un joli objet digne d'être exposé au mur.

Vous pouvez habiller vos étagères de dentelle, de rubans ou même de cuir ajouré,

CI-DESSUS : *Ce bougeoir en étain poinçonné offre un merveilleux arrière-plan à la lumière de ces bougies.*

alliant ainsi l'utile à l'agréable. Si vous n'avez ni la place ni l'envie de vous lancer dans la menuiserie, cherchez un bon artisan dans votre région et faites-lui faire vos étagères, car le bois de récupération (les vieilles lames de parquet en pin par exemple), présente à la fois beaucoup de caractère et une très belle couleur.

Si vous voulez créer une atmosphère douillette, rien ne vaut les bougies. Que vous choisissiez de réaliser le chandelier-balustre ou le bougeoir mural rustique, vous enrichirez votre intérieur d'un objet original et fait main. Prenez les idées que nous vous suggérons comme point de départ et personnalisez-les en choisissant votre propre couleur ou vos propre motifs de décoration.

Le lambrequin brodé a beaucoup de cachet, bien que les motifs choisis ne nécessitent pas un grand talent de brodeuse. Vous pouvez vous contenter de broder le contour des objets au point de chaînette, et de faire les festons en plumetis. Les experts en broderie peuvent opter pour un travail plus élaboré,

en remplissant les formes et le fond avec différentes couleurs et en jouant sur plusieurs points.

De même, quelques coutures à la machine suffisent pour réaliser le jeté en patchwork. Le résultat variera selon le stock de tissus dont vous disposez. En outre, les couturières aux doigts de fée auront tendance à corser le travail en prenant des morceaux de tissus de formes différentes. Que vous décidiez de réaliser le jeté de base ou une version plus élaborée, vous serez forcément ravi du résultat. S'il est superbe, tout simplement drapé sur une chaise, c'est aussi un vrai plaisir de s'envelopper dedans par une froide soirée à la campagne.

Il existe un grand nombre d'artisanats paysans que l'on peut apprendre à maîtriser, comme la vannerie, le tissage ou le travail du bois. Si vous avez le temps d'explorer la façon dont les choses sont fabriquées de façon traditionnelle, n'hésitez pas : c'est une expérience très enrichissante. Ce que nous vous proposons ici relève davantage du raccourci que l'on prend pour faire de l'effet, ce qui est un bon moyen de commencer et d'exciter sa créativité. Une fois que vous aurez pris goût à confectionner vos propres créations et à les exposer chez vous, vous ne pourrez plus vous en passer.

CI-CONTRE : *Jolis et pratiques : voilà les deux mots clés pour les ustensiles d'une cuisine de campagne. Comme à gauche, ces cuillères en bois bien en vue et toujours à portée de main, et à droite, ces bocaux aux décors peints très colorés qui renferment par exemple des produits séchés.*

DE GAUCHE A DROITE, EN PARTANT DU HAUT : *Une boîte à sel peinte, une poupée de style Shaker et une corbeille en bois vernis : une ambiance campagnarde complétée par les bougies. Cette ravissante boîte en bois fait une parfaite corbeille à ouvrage. Les bougies en cire d'abeille ressortent bien devant cette lanterne au bleu délavé. Personnages en bois sculpté et peint devant une collection de faïences aux couleurs complémentaires.*

Bougeoir mural

Ces jolis accessoires étaient autrefois indispensables dans chaque maison. On peut se demander ce que penseraient nos ancêtres en nous voyant délaisser l'électricité, si pratique, pour retrouver la beauté romantique des bougies. En fait, la technologie et la production de masse semblent priver nos intérieurs de toute humanité, ce qui explique notre engouement pour l'éclairage aux chandelles, la couture à la main et les meubles rustiques.

FOURNITURES

Vieux morceau de bois
Scie
Marteau
Clous de décoration bronze ou noirs
Colle à bois
Clous

1

Coupez le bois en deux morceaux que vous assemblerez à angle droit. Décorez la partie murale avec des clous de décoration : commencez par les planter sur une ligne médiane, puis élaborez un motif à partir de là.

2

Formez des flèches, des losanges et des croix en jouant sur le contraste entre les deux couleurs de clous.

3

Appliquez une couche de colle à bois sur le bord de la base. Assemblez le tout et terminez en clouant la base à la partie murale avec des pointes fines.

Plateau orné de découpages

Un bon plateau doit être assez solide pour pouvoir porter tout ce qu'il faut pour le petit déjeuner tout en étant assez joli pour être suspendu comme ornement. Nous avons choisi de décorer celui-ci avec des découpages représentant de vieux outils de graveur, mais vous pouvez opter pour un autre thème.

Les découpages vous rappelleront votre enfance : découper et coller est l'une des activités préférées des enfants âgés de 5 à 10 ans. Cette version pour adultes est légèrement plus sophistiquée, mais tout aussi amusante à réaliser.

Le secret de la réussite tient à la précision de la découpe et à l'application d'un nombre suffisant de couches de vernis. Les perfectionnistes en passent jusqu'à trente, en ponçant au papier de verre à grain fin après chaque couche. Ils cherchent en fait

tout d'abord à uniformiser la surface en amenant le fond au niveau des décors, puis à gagner encore de la profondeur, en ajoutant si possible un vernis craqueleur et un vernis qui patine. Le résultat final doit être convaincant tant à l'œil qu'au toucher.

FOURNITURES

Plateau en bois
Peinture à bois de couleur maïs
Pinceau ou brosse ordinaire
Papier de verre à grain fin
Motifs photocopiés à découper
Ciseaux pointus ou cutter
Colle à papier peint et brosse
Chiffon doux
Pinceau neuf pour vernir
Vernis incolore satiné
Vernis craqueleur (optionnel)
Peinture à l'huile pour tableaux :
coloris terre d'ombre naturelle

1

Préparez le plateau en le peignant avec la couleur maïs. Une fois sec, poncez-le avec du papier de verre à grain fin.

2

Découpez vos motifs soigneusement, en faisant avancer le papier vers les ciseaux de façon à toujours utiliser l'outil en souplesse.

3

Retournez les découpages et enduisez-les de colle à papier peint en prenant soin de couvrir toute la surface.

4

Collez-les sur le plateau suivant la disposition que vous avez retenue.

5

Avec un chiffon doux, éliminez
les éventuelles bulles d'air. Laissez sécher
toute la nuit.

6

Commencez à vernir le plateau avec une
brosse neuve. Passez d'abord une couche de
protection sur l'ensemble de l'objet. Une fois
sec, frottez légèrement l'intérieur avec du
papier de verre à grain fin et renouvelez
l'opération le plus grand nombre de fois
possible.

7

Vous pouvez ajouter un effet supplémentaire
en passant une couche de vernis craqueleur.
Il en existe plusieurs marques sur le marché.
Le mieux est de suivre les instructions
portées sur le flacon que vous utilisez. Sur la
photo 7, on est en train d'appliquer une
couche de vernis classique.

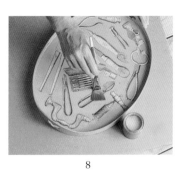

8

Une fois que cette couche a séché (au bout
de 20 minutes environ), passez une couche
de vernis craqueleur et laissez sécher
une vingtaine de minutes.

9

Faites pénétrer un peu de peinture à l'huile
pour tableaux dans les craquelures avec
un chiffon en coton. On a utilisé ici
une peinture terre d'ombre naturelle, mais
vous pouvez choisir la teinte qui vous plaît.

10

Une fois les craquelures colorées,
éliminez l'excès de peinture en passant
un chiffon doux.

11

Passez encore au moins deux couches
de vernis incolore satiné, plus si vous avez
le temps et la patience.

Chandeliers en bois

Cette paire de chandeliers en bois a été réalisée à partir de vieilles balustres provenant d'une rampe d'escalier. C'est la solution de facilité pour fabriquer quelque chose à partir de bois tourné sans être obligé de manipuler un tour soi-même. Vous trouverez des balustres en bois chez les marchands de bois et dans les magasins de bricolage.

Le seul équipement spécial dont vous aurez besoin ici est un foret à tête plate pour faire, dans le haut de la balustre, un trou assez gros pour y poser une bougie.

Nous avons peint les chandeliers de couleurs chaudes qui évoquent la terre, de sorte qu'ils peuvent trôner avec grâce sur n'importe quelle table de campagne.

FOURNITURES

Scie
2 balustres en bois (de récupération ou neuves)
2 chutes de bois carrées
Papier de verre à grain fin et à grain moyen
Colle à bois
Étau

Perceuse électrique équipée d'un foret à tête plate
Peinture acrylique jaune vif, rouge et terre d'ombre naturelle ou terre de Sienne brûlée
Brosses ordinaires et à tableaux
Vernis acrylique incolore mat
Chiffon doux propre

1
Découpez la partie la plus intéressante de la balustre et un socle carré de 7,5 x 7,5 cm. Poncez le bas de la balustre avec du papier de verre.

2
Chanfreinez très légèrement le socle avec du papier de verre à grain fin. Assemblez les deux morceaux du chandelier avec de la colle à bois.

3
Maintenez le chandelier en place dans l'étau et percez un trou de 2 cm de diamètre et 2 cm de profondeur pour mettre la bougie.

4
Peignez le chandelier avec deux ou trois couches de peinture acrylique jaune vif.

5
Passez une couche de peinture acrylique orange (ajoutez une goutte de rouge dans la peinture jaune pour obtenir cette teinte).

6
Passez le vernis teinté en brun boueux par une goutte de peinture terre d'ombre naturelle ou terre de Sienne brûlée.

7

Avec un chiffon froissé, enlevez un peu de vernis pour laisser apparaître la couleur du dessous.

ATTENTION

Si vous avez un chandelier en bois, ne laissez pas brûler une bougie sans surveillance, ni brûler jusqu'au bout, car le bois pourrait prendre feu.

Jeté de laine en patchwork

Aussi difficile à croire que cela puisse paraître, ce superbe jeté n'a pratiquement rien coûté et a été réalisé en un après-midi ! Il a été confectionné à partir d'écharpes en pure laine et de chutes de lainage. Nous avons acheté les écharpes dans des kermesses ou ventes de charité pour trois fois rien. Comme vous aurez l'embarras du choix, optez pour une palette qui corresponde à vos chutes de lainage. Pour la doublure, nous avons pris un vieux rideau en brocart, mais un drap de flanelle aurait également pu faire l'affaire, surtout si vous le teignez de couleur sombre.

La seule chose que vous devez savoir faire pour réaliser ce superbe jeté, c'est piquer une couture droite à la machine. Les écharpes à carreaux vous faciliteront la tâche, car il suffit de suivre une de leurs lignes. Dégagez un espace assez grand sur le sol et disposez les tissus et les écharpes que vous avez, en les changeant de place jusqu'à ce que le jeu des couleurs vous plaise. Découpez le premier carré central. Vous devez ourler et épingler le losange avant de le coudre au milieu du premier carré ; ensuite, il suffit d'épingler chaque morceau d'écharpe pour le maintenir en place, et de le coudre.

Vous pouvez très facilement transformer ce jeté en couvre-lit. Du fait de la qualité des écharpes utilisées, il sera exceptionnellement chaud. Le plus difficile avec cette couverture, c'est de résister à la tentation de s'envelopper soi-même dedans, plutôt que de la jeter nonchalamment sur une chaise !

DÉTAILS ET ACCESSOIRES

....

FOURNITURES

Ciseaux
Environ un mètre de lainage
Sélection d'écharpes en laine unies
et écossaises
Épingles, fil et machine à coudre
Vieux rideau ou drap en flanelle
pour la doublure

1

Découpez un carré de 46 x 46 cm dans votre tissu de base. Choisissez le motif de votre losange central et découpez un carré, en prenant la largeur de l'écharpe comme mesure pour les côtés. Faufilez un ourlet de 1 cm tout autour. Épinglez le losange pour le mettre en place et cousez-le.

2

Choisissez deux écharpes et découpez deux rectangles dans chacune d'elles. Placez-les le long des côtés du carré, les deux rectangles assortis face à face. Cousez-les et coupez ce qui dépasse.

3

Découpez quatre carrés dans un même tissu uni, épinglez-les et cousez-les dans les angles. Vérifiez sur l'endroit que les coins correspondent très précisément. Découpez quatre carrés dans le tissu de base pour compléter les côtés.

4

Découpez quatre carrés d'angle de 14 x 14 cm dans l'écharpe qui a servi pour le losange central. Cousez un carré à chaque extrémité du tissu de base.

5

Épinglez puis cousez ces longues bandes tout autour du patchwork.

6

Découpez une écharpe unie en quatre bandes dans le sens de la longueur et cousez-les tout autour du patchwork, en les faisant se chevaucher dans les coins pour terminer le carré.

7

Découpez la doublure et cousez-la sur le patchwork, endroit sur endroit.

8

Retournez le jeté et fermez la couture à la main. Repassez avec une patte mouille et un fer sec.

65

Embrasses tressées

Les embrasses constituent une bonne façon de faire entrer le maximum de lumière naturelle dans la maison. Il est étonnant de voir à quel point quelques centimètres de vitres supplémentaires peuvent améliorer la clarté d'une pièce ! Aussi, nous vous conseillons de bien écarter vos rideaux avec des embrasses. Le modèle que nous vous proposons ici est d'une texture très intéressante. On peut, en outre, le coordonner avec les rideaux, ou au contraire choisir une couleur qui tranche.

La méthode qui consiste à tresser des bouts de tissus disparates a été empruntée aux fabricants de lirettes ou autres tapis du même type. Si vous avez toujours eu envie d'en confectionner un, voilà une bonne façon de vous exercer. S'il vous reste du tissu de vos rideaux, vous pouvez incorporer ces chutes dans les embrasses. Sinon, cherchez un morceau de tissu uni de l'un des tons de vos rideaux pour harmoniser l'ensemble.

FOURNITURES

Morceaux de tissu coupés en bandes de 7,5 cm de large
Épingle de sûreté
Aiguille et fil à coudre
Ciseaux
Morceau de tissu pour la doublure (un par embrasse)
2 anneaux en forme de D pour chaque embrasse

1

Enroulez les bandes de tissu en laissant une petite longueur dépliée.

2

Attachez trois bandes en enroulant un tissu sur les deux autres et en fixant le tout avec l'épingle de sûreté. Attachez les extrémités à une chaise ou tout autre objet suffisamment lourd pour ne pas bouger, ou coincez-les sous un poids.

3

Commencez à tresser les bandelettes en les enroulant en tubes au fur et à mesure, de façon à ne pas laisser s'échapper les bords non ourlés. Faites des tresses bien serrées. Les embrasses doivent mesurer au moins 50 cm de long et avoir la largeur de quatre tresses (la longueur et l'épaisseur varient en fonction du tissu utilisé, et ces mesures sont données à titre indicatif). Continuez à tresser jusqu'à ce que vous ayez suffisamment de longueur et d'épaisseur de tresse.

4

Posez les tresses à plat et cousez-les bord à bord avec une grosse aiguille et un fil solide. Veillez à ce que les tresses restent bien à plat lorsque vous tournez à l'une des extrémités.

Découpez une bande de tissu pour la doublure en prévoyant un ourlet de 1,5 cm tout autour. Fixez un anneau en D à chacune des extrémités de l'embrasse en cousant la doublure.

Embrasses matelassées

Voici un projet réalisable par un débutant complet. Il suffit de savoir coudre d'un point régulier en suivant une ligne précise. Le motif est celui d'un pochoir classique (que vous pourrez vous procurer dans une mercerie ou un magasin de fournitures pour l'artisanat) que l'on reporte sur le tissu avec une craie de tailleur. On glisse une couche de ouate entre les deux bandes de tissu que l'on peut ensuite épingler ou faufiler pour les coudre plus facilement.

Le matelassage donne aux embrasses une texture intéressante tout en faisant ressortir le motif décoratif. Le résultat est le plus frappant avec les tissus unis, mais ces embrasses peuvent retenir des rideaux imprimés. Les rideaux en vichy ou à gros carreaux sont bien mis en valeur avec des embrasses matelassées en calicot.

FOURNITURES

1 m de calicot naturel
Ciseaux
50 cm de ouate
Pochoir à matelassage
Craie de tailleur ou crayon
Épingles, aiguille et fil
2 anneaux en D pour chaque embrasse

1

Coupez le calicot en bandes de 50 x 14 cm. Coupez la ouate en bandes de 48 x 10 cm. Reportez le motif du pochoir sur un morceau de calicot. Glissez une bande de ouate entre deux bandes de calicot et épinglez le tout.

2

Cousez à point droit le long du motif tracé sur le tissu. Peut-être trouverez-vous plus facile de tirer l'aiguille à chaque fois plutôt que de faire chaque point en passant deux fois l'aiguille à travers les trois épaisseurs de tissu d'un seul coup.

3

Une fois le motif réalisé, rabattez les bords et cousez tout autour, à la main ou à la machine. Fixez un anneau en D à chaque extrémité.

Décor d'étagères en cuir ajouré

Toutes les étagères ne sont pas des œuvres d'art, surtout les modèles neufs et bon marché que l'on trouve généralement dans les magasins de bricolage. Elles sont certes pratiques et fonctionnelles, mais elles manquent de fantaisie. Rassurez-vous : un simple décor les transformera rapidement en un élément charmant et original qui agrémentera plaisamment votre pièce.

FOURNITURES

Chutes de cuir (vendues au poids dans les magasins de fournitures d'artisanat)
Gabarit rond de 7,5 cm de diamètre
Crayon, règle et craie
Poinçon multitaille
Ciseaux à cranter
Ruban adhésif double-face ou colle

1

Découpez des bandes de cuir pour couvrir la longueur de vos étagères, quitte à raccorder plusieurs bandes courtes si besoin est. Elles doivent mesurer au moins 6 cm de large. Tracez un trait à 1 cm du bord (sur l'envers) et tracez des demi-cercles sur toute la longueur du trait à l'aide du gabarit.

2

Découpez avec des ciseaux à cranter et, au poinçon, faites des trous le long des bords.

3

Dessinez des étoiles à la craie sur les demi-cercles, et matérialisez-les en perforant le cuir avec le poinçon. Collez une bande de ruban adhésif double-face le long de l'étagère et collez la bande de cuir. Vous pouvez aussi utiliser de la colle universelle.

Décor d'étagères en vichy et dentelle

Si la dentelle ne convient pas dans toutes les pièces, elle donne un air très français à un buffet ou à une étagère. Le contraste entre la robustesse des casseroles émaillées et la délicatesse de la dentelle en coton peut être tout à fait charmant. Souvenez-vous des bordures au crochet dont les grand-mères de nos campagnes ornaient tout leur mobilier...

Il existe une telle variété de motifs de dentelle que le choix est difficile, depuis les bordures anciennes crochetées à la main jusqu'à la dentelle moderne faite à la machine. Le gros croquet que nous avons trouvé met bien la vaisselle en valeur.

Le vichy a quelque chose de gai et de pratique à la fois. Il est parfait pour décorer la tranche des étagères d'un placard à provisions, car son motif est suffisamment vif pour ressortir sous les différents emballages. L'association avec la dentelle est pleine de fraîcheur.

FOURNITURES

Morceaux de dentelle d'une longueur suffisante pour couvrir la marge des étagères, sans oublier un peu de marge pour les extrémités
Thé froid

Petit bol
Ciseaux
Ruban adhésif double-face
Ruban de vichy assez long pour couvrir les côtés des étagères
Colle universelle

1

Pour atténuer l'éclat de cette dentelle neuve, nous l'avons fait tremper dans du thé froid. Plus l'infusion est forte, plus le résultat est foncé. Ajustez donc la teinte en ajoutant de l'eau pour parvenir à la couleur recherchée. Repassez la dentelle une fois sèche et coupez-la à la bonne longueur.

2

Appliquez du ruban double-face sur les montants verticaux des étagères et retirez la deuxième pellicule protectrice. Coupez le ruban de vichy à la bonne dimension et arrêtez les extrémités avec une pointe de colle qui ne se verra pas une fois sèche mais qui empêchera que le tissu ne s'effiloche.

3

Collez les bandes de vichy sur les montants verticaux, en appuyant soigneusement pour éliminer les bulles d'air. Commencez à une extrémité et maintenez le tissu bien tendu.

4

Collez du ruban adhésif double-face sur la marge des étagères en débordant sur le vichy.

5

Arrêtez l'une des extrémités de la dentelle avec une pointe de colle. Collez-la sur le ruban adhésif, coupez-la à la bonne dimension, et arrêtez l'autre extrémité avec une pointe de colle.

Huche à pain

La cuisine et les repas jouent un rôle clé dans la vie à la campagne, qu'il s'agisse des chauds dîners d'hiver, lorsque les jours ont raccourci, ou des longs et langoureux déjeuners d'été. Le pain faisant partie intégrante de n'importe quel repas, cette huche s'avère fort pratique. Vous pouvez aussi l'installer dans votre entrée et l'utiliser comme porte-parapluie.

Vous pouvez soit fournir le patron que vous trouverez à la fin du chapitre à un menuisier, ou, si vous aimez le travail du bois, le réaliser vous-même. La huche que nous vous présentons a été exécutée à partir de lames de parquet de récupération. Assez lourdes, elles lui confèrent une bonne stabilité, renforcée par la moulure qui fait office de socle.

Le décor « fougères » était très à la mode à l'époque victorienne. Des fougères séchées ou artificielles (vous trouverez chez les fleuristes des fougères en soie ou en plastique) sont enduites d'adhésif en aérosol puis disposées sur la surface à décorer que l'on vaporise ensuite de peinture. Une fois la peinture sèche, ce qui est très rapide, il suffit de retirer les fougères pour obtenir un décor du plus bel effet.

FOURNITURES

Bois pour la huche (voir patron)
Papier quadrillé ou papier carbone
Scie électrique à découper ou à chantourner
Colle à bois et pointes de 2,5 cm
Marteau

Pour la décoration
Gomme laque
Brosse ordinaire
Papier journal
Ruban adhésif
Sélection de fougères artificielles
Peinture en vaporisateur noire, vert sapin ou bleu de nuit
Papier de verre à grain fin
Vernis incolore mat

1

Passez deux couches de gomme laque pour protéger et colorer le bois brut.

POUR FAIRE LA HUCHE

Découpez le bois aux dimensions données sur le patron. Biseautez les bords marqués (a). Reportez le contour de la tête de la huche et découpez-la avec une scie à découper ou une scie à chantourner. Appliquez de la colle à bois sur toutes les pièces à assembler, collez-les et consolidez le tout avec des pointes.

2

Décorez un côté de la huche à la fois. Vaporisez de l'adhésif sur une face des feuilles de fougère, puis disposez-les sur le côté de la huche que vous souhaitez décorer.

3

Vaporisez la peinture légèrement et régulièrement en colorant le bois progressivement. Une fois la peinture sèche, retirez les feuilles.

4

Procédez de même pour tous les côtés de la
huche que vous voulez décorer, tête
comprise.

5

Passez les bords au papier de verre pour
simuler l'usure.

6

Terminez en passant deux couches de vernis
pour protéger le décor « fougères ».

Lapin décoratif

Un lapin plus grand que nature ne manquera pas de délier les langues ! Ce type de panneau servait autrefois d'enseignes pour les magasins ou les auberges. A l'époque où peu de gens savaient lire, une enseigne devait représenter clairement la spécialité des lieux. Les enseignes étaient soit suspendues au-dessus de la porte, soit fixées sur un socle en bois. De même, vous pouvez choisir de poser ce lapin sur un support, ou de le suspendre au mur.

Ce projet joue sur les deux tableaux de l'ancien et du moderne. Ainsi, la gravure du XIXᵉ siècle est agrandie à l'aide d'une photocopieuse. Les traits fins de l'original se sont certes épaissis au passage, mais sans perdre l'aspect caractéristique des gravures.

Ce projet est amusant et très simple à réaliser. Le seul problème est de savoir découper une forme avec une scie électrique. Nous savons par expérience que certaines personnes adorent. Alors si vous n'avez pas de scie à découper, trouvez quelqu'un qui en a une : il sera certainement ravi de vous dépanner.

FOURNITURES

Colle à papier peint et brosse
Plaque de contre-plaqué de marine de format A2 (59,5 × 42 cm)
Scie à découper
Papier de verre à grain fin
Gomme laque
Brosses et pinceaux ordinaires
Vernis coloris « Pin Antique »
Morceau de bois pour le socle
Colle PVA

1

Photocopiez la gravure représentant le lapin que vous trouverez dans la rubrique Patrons, en l'agrandissant de façon à obtenir un format A4. Coupez la feuille en deux pour obtenir deux feuillets A5.

2

Agrandissez ces deux feuillets A5 pour obtenir un format A3. Suivant la machine que vous utiliserez, ce processus se fera en une ou plusieurs étapes.

4

Découpez les bords des photocopies de façon que les deux parties du lapin soient bien jointives. Passez une fine couche de colle à papier peint en couvrant bien toute la surface et collez les deux feuilles sur la plaque. Éliminez les bulles d'air avec un chiffon doux et laissez sécher toute la nuit.

3

Appliquez une couche de colle à papier peint sur le contreplaqué. Ainsi, le contreplaqué n'est plus poreux et le papier adhère mieux.

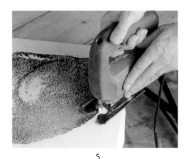

5

Avec une scie électrique, découpez le lapin
en laissant une base plate. Exercez-vous à
manier la scie à découper avant de vous
attaquer au lapin. Prenez votre temps.

6

Poncez les bords du lapin.

7

Passez une couche de gomme laque,
ce qui donnera un éclat un peu jaune,
puis une couche de vernis « Pin Antique »,
et plusieurs couches de vernis incolore.

8

Reportez le patron du support qui se trouve
à la fin du chapitre et agrandissez-le pour
obtenir un gabarit de 17,5 X 14,5 X 3 cm.
Posez le gabarit sur un morceau de bois
et découpez le support. Poncez les bords
avec du papier de verre et collez-le
au dos du lapin.

Tôle peinte

C'est au début de l'installation des premiers colons en Amérique que la technique de la tôle peinte atteignit son apogée. Les marchands itinérants apparaissaient alors au portail des fermes dans un flamboiement de couleurs et vendaient leurs ustensiles métalliques décorés. Déjà, à l'époque, on avait du mal à résister à leur charme et on trouvait dans la plupart des maisons de beaux ustensiles en tôle peinte. Si la technique est originaire de France, le style de peinture est plus proche du rosemaling *norvégien.*

Vous pourrez réaliser ce projet sans être obligé d'apprendre la technique traditionnelle de la tôle peinte. Néanmoins, les couleurs et le vernis choisis sont tels que l'objet ne choquera pas à côté d'autres ustensiles en tôle peinte. Ces boîtes numérotées étaient utilisées par les marchands de thé qui y rangeaient les diverses variétés de thé.

DÉTAILS ET ACCESSOIRES

FOURNITURES

Apprêt pour métal
Brosses et pinceaux ordinaires
Grosse boîte métallique (en fer blanc
ou en aluminium) avec couvercle
Peinture émulsion noire, brique
et jaune maïs
Petite brosse à tableau
Papier quadrillé (en option)
Crayon gras
Ruban adhésif
Plusieurs brosses et pinceaux à tableau
Crayon à mine dure
Gomme laque
Vernis incolore teinté avec de la peinture
acrylique terre d'ombre naturelle
Vernis incolore satiné

1

Passez une couche d'apprêt sur la boîte.
Peignez le couvercle avec la peinture
émulsion noire, la boîte en brique avec
des bandes jaunes.

2

Recopiez ou photocopiez le numéro du bas
de la page 86, en faisant un modèle
de la taille qui convient et hachurez le dos
avec un crayon gras.

3

Avec du ruban adhésif, fixez le modèle
sur la boîte et tracez le motif avec un crayon
à mine dure.

4

Peignez le corps du « 3 » en jaune maïs.

5

Peignez les zones d'ombre en noir.

6

Passez une couche de gomme laque pour
donner un éclat chaleureux à la boîte.

7

Appliquez enfin une couche de vernis teinté,
puis une couche de vernis incolore satiné
pour protéger le décor.

Une tringle à rideaux pour suspendre des accessoires

Avant l'arrivée sur le marché des sèche-linge électriques, les séchoirs victoriens utilisaient la chaleur qui se dégageait des poêles et cuisinières pour sécher la lessive. S'ils ont aujourd'hui perdu leur fonction d'origine, on s'en sert souvent pour suspendre casseroles en cuivre, paniers et autres jolis ustensiles.

Tous les plafonds ne se prêtent pas à ce genre de séchoirs, souvent trop lourds, et certains plafonds ne sont pas assez hauts pour ce type de suspension. Pour retrouver l'esprit campagnard sans se cogner la tête ou risquer de faire craquer le plafond, nous vous proposons de leur substituer une tringle à rideaux en bois.

FOURNITURES

Tringle à rideaux en bois
avec embouts tournés
2 grosses chevilles à œillet
pour poutre de plafond
Papier de verre à grain moyen
Peinture émulsion verte, rouge et
crème
Brosses et pinceaux

Vernis incolore teinté avec de
la peinture acrylique terre
d'ombre naturelle
2 longueurs de chaîne
Crochets pour ustensiles
domestiques et esses
de boucherie

1

En vous basant sur les mesures de la tringle, placez les chevilles dans le plafond ou la poutre. La fixation doit être très solide. Poncez la tringle et les embouts, et peignez ceux-ci en vert.

2

Peignez la tringle en rouge. Une fois sèche, peignez les raies en crème, à 6 cm des extrémités.

3

Poncez légèrement la peinture par endroit pour donner une certaine patine. Passez une couche de vernis teinté. Fixez les embouts à chaque extrémité de la tringle. Fixez les morceaux de chaîne aux chevilles à œillet. Vissez deux crochets à vis dans la tringle, dans l'alignement des chaînes et des chevilles à œillet. Mettez la tringle en place. Accrochez les esses de boucherie. Suspendez vos ustensiles.

Lambrequin brodé

En France, les lambrequins de ce type sont très couramment fixés à titre décoratif au-dessus des fenêtres qui n'ont pas besoin de rideaux.

Cette broderie toute simple qui ne fait intervenir que quelques points de base est à la portée de n'importe quel débutant. Si vous complétez l'habillage de la fenêtre par des rideaux, vous pouvez les choisir en vichy, ce qui offrira un joli contraste sans occulter les broderies, ou bien en calicot, que vous pourrez broder avec les mêmes motifs, si le cœur vous en dit.

FOURNITURES

*Papier quadrillé
Papier carbone de couturière ou crayon
1 m de calicot, coupé en deux bandes
de 20 cm de largeur
Aiguille et fil à broder de quatre
couleurs différentes
Ciseaux
Tringle métallique souple*

1

Agrandissez le patron de la fin du chapitre de façon à obtenir des dessins de 10 cm environ. Reportez les motifs sur le tissu avec du carbone de couturière.

2

En fonction de votre talent, brodez chacun des motifs. Une simple chaînette sera ravissante, mais vous pouvez aussi ajouter un peu de variété en jouant sur le point de croix, le point de tige et le point arrière.

3

Réalisez le bord festonné au point de plumetis. Faites un ourlet et enfilez-y une tringle souple. Froncez le lambrequin et fixez-le au-dessus de votre fenêtre.

Dhurrie trompe-l'œil

Tapis en toile

Bordure peinte
au pochoir

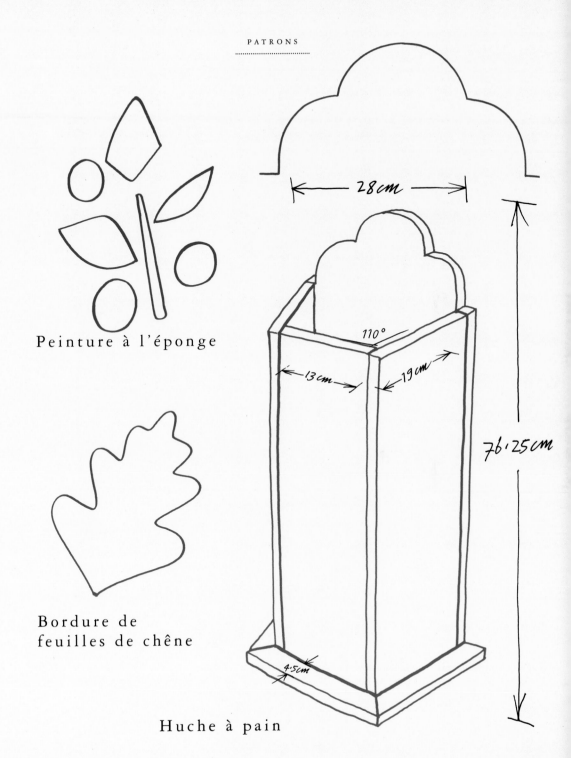

Peinture à l'éponge

Bordure de
feuilles de chêne

Huche à pain

Coffre peint

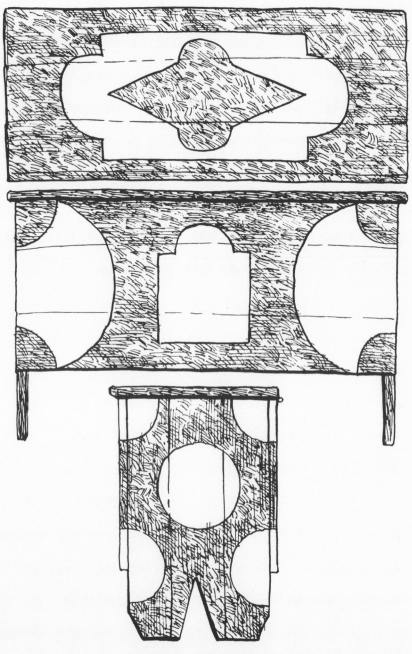

Lapin décoratif

Console de l'étagère et Support du lapin

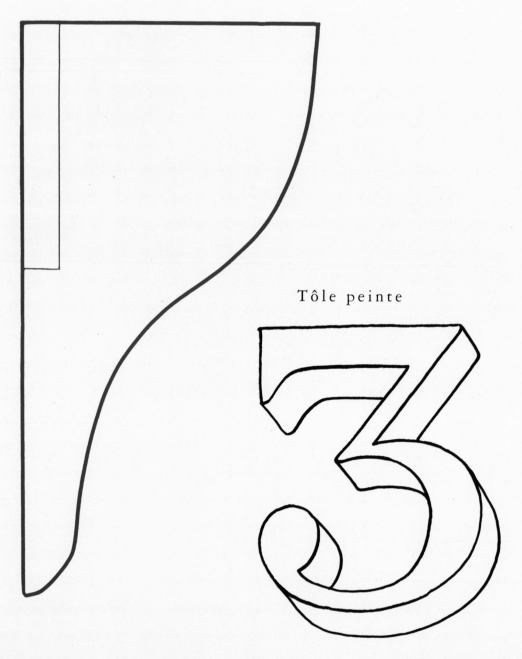

Tôle peinte

Lambrequin brodé

Artisanat
et arrangements
floraux

TESSA EVELEGH

Tout frais cueillis

....

*Rien ne vaut la présence de quelques fruits de la nature
pour donner un air de saison à son habitation. Cueillez
fleurs, herbes, aromates et feuillage dans votre jardin,
sur les haies, dans les champs et même sur les marchés,
puis rassemblez quelques récipients tout simples pour
disposer vos trésors et apprécier enfin l'abondance
de couleurs, de textures et d'arômes de la saison.*

Couronne d'herbes aromatiques fraîches

Cueillez une brassée d'herbes parfumées et confectionnez une couronne aromatique que vous suspendrez dans votre cuisine ou qui servira de décoration à l'occasion d'une fête. Si vous choisissez les herbes les plus charnues, qui conservent leur humidité, et si vous vaporisez la couronne, elle tiendra bien deux jours. Ensuite, vous pourrez la démanteler et laisser sécher les petits bouquets.

FOURNITURES

Fil de fer
Ciseaux
Sauge fraîche
Lavande fraîche ou sèche
Persil frais
Pistolet à colle et bâtons de colle
Couronne-support en paille ou en vannerie
de 30 cm de diamètre
Ciboulette fraîche
Raphia végétal

1

Avec le fil de fer, confectionnez des petits bouquets bien fournis de chaque type d'aromates.

2

Fixez deux bouquets de sauge à la base de la couronne à l'aide du pistolet à colle, les tiges tournées vers l'intérieur.

3

Fixez ensuite suffisamment de bouquets de lavande côte à côte pour couvrir toute la largeur de la base de la couronne et cacher les tiges de sauge. Attachez des bouquets de persil de la même façon pour couvrir les tiges de lavande.

4

Continuez ainsi jusqu'à ce que toute la couronne-support soit recouverte d'aromates.

5

Faites quatre bouquets de ciboulette, attachez-les avec du fil de fer et égalisez les tiges. Attachez-les ensuite deux par deux en croix avec du raphia. Fixez les croix de ciboulette en place sur la couronne avec du fil de fer.

6

Nouez du raphia tout autour de la couronne à intervalles plus ou moins réguliers. Confectionnez une boucle en raphia au sommet de la couronne pour la suspendre et terminez par une belle boucle.

Tresse aromatique provençale

Attachez des bouquets d'herbes aromatiques à une tresse en corde assez grossière, donnez-lui du volume en ajoutant de petits pots en argile, de l'ail et des piments colorés, et vous obtiendrez une belle idée de cadeau parfumé et épicé à offrir à quiconque aime cuisiner.

FOURNITURES

Écheveau de ficelle en jute
Ciseaux
Ficelle plus fine en fibres naturelles
Fil de fer
Sauge fraîche
Thym frais
Origan frais
2 petits pots de fleurs
6 tiges de fil de fer
2 têtes d'ail
Pistolet à colle et bâtons de colle
Gros piments rouges séchés

1

Coupez six longueurs de ficelle en jute correspondant à trois fois la longueur désirée pour la tresse. Prenez deux brins, pliez-les en deux et posez-les sous une longueur de ficelle plus fine. Faites passer les extrémités des brins de jute par-dessus la ficelle fine et à travers la boucle formée par leur coude, de façon à attacher le jute à la ficelle fine. Répétez l'opération deux fois, avec les quatre brins de jute restant. Faites ensuite trois groupes de quatre brins et tressez-les pour former la base de la suspension.

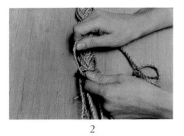

2

Terminez la tresse et attachez-la avec un autre morceau de ficelle en jute.

3

Avec le fil de fer, faites de petits bouquets d'herbes. Attachez-les à la tresse avec de la ficelle fine.

4

Passez deux tiges en fil de fer à travers le trou qui se trouve à la base des pots de fleurs, puis réunissez les extrémités des tiges et torsadez-les.

5

Fixez les pots à la tresse en faisant passer une tige en fil de fer dans l'anse formée par les tiges utilisées précédemment, puis dans la tresse, en torsadant les extrémités de la tige.

6

Nouez de la ficelle autour des têtes d'ail et attachez-les à la tresse. Fixez les piments avec du fil de fer ou de la colle à chaud, et glissez-en quelques-uns dans les pots.

Compotier fleuri

Réalisez ce ravissant compotier à fruits d'été en disposant des fleurs et du feuillage dans un panier à salade. Vous y fixerez ensuite du grillage à poule qui servira de support à une jolie assiette sur laquelle vous poserez vos fruits frais. Voilà une note très originale à retenir pour vos garden-parties.

FOURNITURES

*Pot à confiture
Panier à salade
Fuchsias ou autres fleurs pendantes
Sécateur
Morceau de grillage à poule correspondant
au diamètre du panier
Jolie assiette dont le diamètre correspond
à celui du panier
Sélection de fruits d'été colorés*

1

Remplissez d'eau le pot à confiture
et placez-le au centre du panier.

2

Coupez les tiges des fleurs au sécateur et
garnissez-en le panier en enfilant les tiges
dans les mailles du panier et en les faisant
tremper dans le pot à confiture. Continuez
jusqu'à ce que les fleurs et le feuillage
constituent un rideau de couleurs tout
autour du panier.

3

Découpez le grillage pour pouvoir tapisser
le dessus du panier et fixez-le en le rabattant
tout autour du bord. Placez une assiette sur
le grillage, puis disposez sur cette assiette
divers fruits d'été bien frais.

Centre de table du potager

Les fleurs ne sont pas les seuls éléments avec lesquels on peut composer un centre de table ; regardez donc du côté des légumes, et vous y trouverez des merveilles ! Nous avons ici réalisé une nature morte flamboyante avec des choux d'ornement agrémentés d'un chou rouge coupé en deux et de quelques artichauts. Le thème peut ensuite être repris en garnissant les couverts de chaque convive avec une jolie feuille de chou.

FOURNITURES

*Raphia teint
Panier en bois peint
2 choux d'ornement en pot
Mousse de lichen
Couverts et serviettes (1 jeu par convive)
Petit pot de bébé
Corbeille en bois éclaté peinte
Chou rouge, coupé en deux
Artichauts*

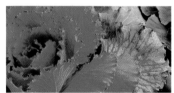

1

Nouez un bouquet de raphia teint autour de l'anse du panier en bois. Retirez quelques feuilles de chou en parfait état et placez les choux en pot dans le panier.

2

Couvrez le dessus des pots de mousse de lichen argentée.

3

Posez sur chaque serviette un jeu de couverts et une feuille de chou d'ornement. Attachez avec un brin de raphia. Disposez quelques feuilles de chou dans un pot de bébé. Remplissez une corbeille en bois éclaté avec les demi-choux et les artichauts.

Centre de table avec bougie

Même les éléments les plus humbles peuvent, lorsqu'ils sont regroupés, donner un centre de table très élégant. Pour confectionner celui-ci, on a pillé l'abri de jardin, où on a déniché un pot de fleurs en argile et du grillage à poule. On a garni le tout de baies rouges, de lierre et de roses blanches qui évoquent les fêtes de Noël. Si la fin de l'année n'est pas toute proche, remplacez ces végétaux par les fleurs et le feuillage de saison.

FOURNITURES

Un pot de fleurs de 18 cm de diamètre	*du pot*
Environ 1 m de grillage à poule	*Bougie en cire d'abeille*
Couteau	*Lierre commun*
Boule de mousse synthétique correspondant au diamètre	*Roses blanches*
	Baies rouges
	Lierre variété « Variegata »

1
Placez le pot au centre d'un grand carré de grillage. Rabattez le grillage autour du pot et donnez-lui une jolie forme.

2
Coupez la boule de mousse en deux et faites-en tremper une moitié. Vous n'aurez pas besoin de la seconde moitié.

3
Mettez la mousse dans le pot, face coupée vers le haut de façon à avoir une surface plane. Placez la bougie au centre du pot.

4
Disposez des feuilles de lierre commun tout autour de la bougie, pour lui faire une jolie base bien verte et brillante.

5
Piquez une rose blanche et des grappes de baies rouges parmi les feuilles de lierre.

6
Ajoutez d'autres roses blanches et insérez quelques brins de lierre *Variegata* dans l'ensemble.

Cœur sauvage

Les compositions les plus simples sont souvent les plus belles. Ici, les fleurs sont simplement disposées dans des petits pots de verre que l'on a entourés de ficelle bleue et regroupés avec soin pour composer une délicieuse nature morte.

FOURNITURES

Ficelle bleue   *Scabieuses*
2 pots à confiture   *Anémones*
Sécateur   *Assiette en verre*

1

Entourez la ficelle bleue autour des pots à confiture et attachez-la bien. Remplissez les pots d'eau.

2

Disposez des scabieuses dans un pot et des anémones dans l'autre, en coupant les tiges à la bonne longueur.

3

Remplissez l'assiette d'eau.

4

Coupez une des tiges très courte et faites flotter la fleur dans l'assiette. Voici une excellente solution pour les boutons et fleurs qui se sont cassés pendant le transport.

TOUT FRAIS CUEILLIS

Couronne de l'avent aux bougies

Une couronne de l'avent aux bougies fait un joli centre de table pour Noël.
Celle que nous vous proposons ici, décorée avec du lierre vert brillant, des amours en cage,
des tranches d'agrumes séchés et de petits bouquets de bâtons de cannelle,
est un plaisir pour les yeux ... et le nez !

FOURNITURES

Mousse synthétique de fleuriste
Couteau
Corbeille circulaire de fleuriste
4 bougies blanches
Mousse
Tranches d'oranges séchées
Tiges de fil de fer
Sécateur
Bâtons de cannelle
Ficelle dorée
Lierre commun
Amours en cage ou coquerets du Pérou

1

Faites tremper la mousse de fleuriste, puis découpez-la et garnissez-en la corbeille.

2

Placez les bougies dans la mousse synthétique.

3

Tapissez toute la surface de mousse naturelle et glissez-en quelques brins sur les côtés de la corbeille.

4

Préparez les tranches d'oranges séchées en enfilant par leur centre une tige en fil de fer dont vous torsaderez les extrémités sur le bord extérieur des tranches. Confectionnez ensuite de petits bouquets de bâtons de cannelle ; attachez-les avec de la ficelle dorée puis passez un morceau de fil de fer dans la ficelle.

5

Faites de petits bouquets avec les feuilles de lierre que vous attacherez avec du fil de fer.

6

Disposez les feuilles de lierre sur la corbeille. Décorez la verdure en plantant çà et là une tranche d'agrume ou un bouquet de cannelle, et répartissez les amours en cage sur le dessus de la couronne à intervalles réguliers.

Fruits d'automne

Il est difficile de résister à la beauté des produits de l'automne. Ces fruits sont tout simplement trop beaux pour rester dans le garde-manger. Alors, rassemblez par exemple tous les fruits violets que vous trouverez et empilez-les dans une composition de saison qui fera un superbe centre de table.

FOURNITURES

*Urne métallique
Matériau de remplissage (papier à bulles,
papier journal ou mousse synthétique)
Plusieurs variétés de prunes
Raisins noirs
Fleurs d'hortensia
Artichauts
Myrtilles*

1

A moins que vous ne disposiez d'une quantité phénoménale de fruits, remplissez le fond de l'urne avec du papier à bulles, du papier journal ou de la mousse.

2

Disposez le plus grand nombre possible de variétés de prunes différentes, en en gardant quelques-unes pour la décoration finale.

3

Ajoutez une grosse grappe de raisins noirs en la faisant retomber par-dessus le bord de l'urne. Complétez la composition en disposant quelques fleurs d'hortensia, quelques artichauts, des prunes et des myrtilles à côté de l'urne.

L'or de l'automne

Vous pouvez rassembler tous les trésors dorés de l'automne en une fabuleuse composition en garnissant les récipients les plus modestes qui soient. Ici, nous avons simplement mis le bouquet de dahlias dans un bocal en verre que nous avons décoré d'un collier de noisettes.

FOURNITURES

Noisettes
Ficelle en jute
Sécateur
Dahlias
Bocal à conserve en verre
Citrouilles et potirons
Branches de buisson ardent portant des baies

1

Attachez les noisettes sur la ficelle en jute de façon à confectionner un « collier ».

2

Recoupez chaque tige de dahlia de 1 cm environ et placez les fleurs dans le bocal en verre rempli d'eau.

3

Attachez le collier de noisettes autour du bocal. Complétez la composition en disposant citrouilles, potirons et branches de pyracanthe devant le bouquet de fleurs.

Guirlande printanière

Les guirlandes de fleurs fraîches font de superbes décorations en toute occasion. Cette jolie farandole de violettes et de pensées dégage une atmosphère de sous-bois que l'on peut ainsi retrouver pratiquement à tout moment, car ces fleurs sont en vente presque tout au long de l'année.

FOURNITURES

Sécateur
Grillage à poule de la longueur
de la guirlande que l'on souhaite réaliser
et d'une largeur trois fois supérieure
à celle de la guirlande
Ciseaux
Sacs poubelle
Environ deux plants de pensées
pour 15 cm de guirlande
Environ 6 plants de violettes
pour 15 cm de guirlande
Tiges en fil de fer
Mousse naturelle

1

Avec un sécateur, coupez le grillage à la taille désirée, enroulez-le et aplatissez-le.

2

Découpez les sacs poubelle en carrés assez grands pour recouvrir les racines des pensées et des violettes et leurs mottes.

3

Dépotez chaque plante une par une, et placez la motte au centre d'un carré de sac poubelle.

4

Ramenez le plastique autour de la motte et fermez le petit baluchon avec une tige en fil de fer que vous torsaderez sans trop serrer vers le haut du plastique.

5

Fixez les plantes avec leurs petits baluchons sur la guirlande avec le reste de tige en fil de fer.

6

Recouvrez tout morceau de plastique visible avec de la mousse fixée par du fil de fer recourbé en épingle à cheveux.

Panier cadeau d'été

Un bouquet de fleurs fraîches est toujours le bienvenu. Présentez-le de façon originale et complétez-le avec un pot de confiture de fraises faite maison joliment emballé, il n'en aura que plus de succès.

FOURNITURES

Un pot de confiture de fraises
Papier rose
Colle
Image en papier représentant une fraise
Papier glacé rose
Raphia
Panier en bois
Papier couleur
Roses

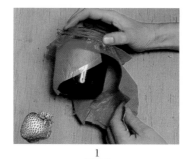

1

Présentez joliment votre confiture de fraises en enveloppant le pot dans du papier rose sur lequel vous collerez une image de fraise.

2

Couvrez le pot avec du papier glacé rose que vous attacherez avec du raphia. Garnissez le panier avec du papier de couleur et déposez d'un côté un bouquet de roses attaché avec du raphia, et de l'autre le pot de confiture.

Panier cadeau de Noël

Décorez un panier en osier avec des feuilles de lierre dorées, puis disposez à l'intérieur des trésors de saison : un pot de lierre « Variegata » avec des baies rouges, des ananas décoratifs que l'on trouve chez les fleuristes, ainsi que quelques autres délicieuses attentions : bougies en cire d'abeille et fruits confits, par exemple.

FOURNITURES

Lierre commun
Cire métallique
(pâte à dorer tous supports)
Panier en osier
Ciseaux
Toile de jute
Pot de lierre « Variegata »
avec des baies rouges
Cadeaux

1

Dorez les feuilles de lierre commun
en les frottant de cire métallique
avec les doigts. Décorez le bord du panier
avec ces feuilles dorées.

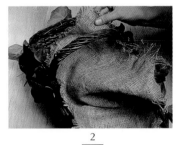

2

Découpez un morceau de toile de jute et
effilochez les bords. Garnissez-en le panier.
Déposez à l'intérieur le pot de lierre ainsi
que les autres petits cadeaux de saison.

Couronne de bienvenue en branchages

Accueillez vos amis avec une jolie couronne de saison, charmante de simplicité. Il suffit de courber quelques branchages en forme de cœur et de garnir cette base de lierre « Variegata », de baies et d'une rose de Noël, que vous pourrez éventuellement remplacer par n'importe quelle rose blanche.

FOURNITURES

Sécateur
Branchages souples, du buddleia
par exemple
Fil de fer
Ficelle en jute
Lierre « Variegata »
Baies rouges
Lierre commun
Cire métallique
(pâte à dorer tous supports, en option)
Rose blanche
Ficelle dorée

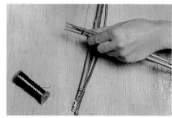

1

Avec le sécateur, coupez six longueurs de branchages souples de 70 cm environ. Attachez-les trois par trois avec du fil de fer à une extrémité. Croisez les deux bouquets au niveau du lien en fil de fer.

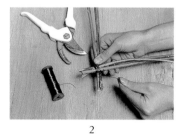

2

Liez les deux bouquets ensemble avec du fil de fer à l'endroit où ils se croisent.

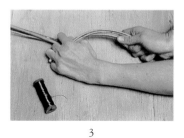

3

En tenant les extrémités croisées et liées d'une main, recourbez la partie longue vers le bas, sans casser les branches. Répétez l'opération avec l'autre côté, de façon à obtenir un cœur. Attachez la pointe du cœur avec du fil de fer.

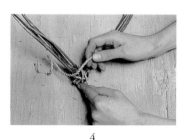

4

Consolidez les liens du haut et du bas du cœur avec de la ficelle en jute, et prévoyez en haut une boucle pour le suspendre.

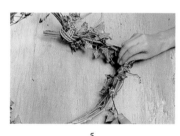

5

Enroulez le lierre *Variegata* autour de la base en forme de cœur.

6

Ajoutez les baies. Confectionnez un petit bouquet avec des feuilles de lierre commun (dorez-les si vous le voulez avec de la cire métallique) et une rose blanche. Attachez ce petit bouquet avec de la ficelle dorée puis fixez-le en haut du cœur avec du fil de fer.

Bouquet lié

C'est présentées dans la plus grande simplicité que les fleurs sont généralement les plus belles. Coupez quelques fleurs et quelques branchages dans votre jardin, et disposez-les en un joli bouquet que le destinataire n'aura qu'à déballer et à mettre directement dans un vase. Vous ferez des heureux !

FOURNITURES

Sécateur	*Scabieuses*
Roses	*Papier kraft*
Eucalyptus	*Ruban*

1

Avec un sécateur, coupez chaque tige de fleurs à environ 15 cm du bouton.

2

Groupez les fleurs, en entourant chaque rose d'eucalyptus, puis en ajoutant les scabieuses.

3

Enveloppez le bouquet dans du papier kraft et attachez-le avec un joli ruban.

Bouquet aromatique « Tussie Mussie »

Traditionnellement, les « tussie mussies » étaient de petits bouquets d'herbes aromatiques disposées en cercles concentriques que l'on emportait partout en guise de parfum personnel. Celui que nous vous proposons ici combine les tons bleu-vert de la sauge et du thym avec le mauve de la lavande et des scabieuses.

FOURNITURES

6 scabieuses
Thym frais
Lavande fraîche
Sauge fraîche
Raphia teint

1

Entourez les fleurs de scabieuse
avec des brins de thym frais.

2

Disposez tout autour des fleurs de lavande,
en veillant à conserver au bouquet
sa forme circulaire.

3

Ajoutez une rangée de sauge, puis liez le
tout avec plusieurs brins de raphia teint.

Composition pascale

Quelques œufs colorés, et le moindre bouquet printanier prend un air pascal. Le secret de la réussite tient une fois de plus à la simplicité : un gros bouquet de fleurs et quelques œufs délicatement posés sur un coussin de mousse végétale pour évoquer l'idée d'un nid, et le tour est joué.

FOURNITURES

Œufs durs
Colorants alimentaires si vous voulez
manger les œufs, teinture pour tissu
s'ils ont un but purement décoratif
Un pot à confiture par couleur
Vinaigre
Sel
Bouquet de tulipes ou de toute
autre fleur de printemps
Vase
Mousse végétale
Assiette

1

Commencez par laver les œufs. Préparez ensuite la teinture en versant une demi-bouteille de colorant alimentaire ou une demi-capsule de teinture pour tissu dans un pot à confiture dans lequel vous ajouterez 300 ml d'eau chaude.

2

Ajoutez 30 ml de vinaigre et 15 ml de sel. Trempez un œuf dans le pot de teinture et laissez-le quelques minutes. Vérifiez la couleur régulièrement.

3

Lorsque l'œuf a atteint la couleur désirée, sortez-le du bain et répétez l'opération avec les autres. Vous allez vous rendre compte que plus vous teignez d'œufs, plus la solution perd de son intensité. Compensez en laissant les œufs plus longtemps dans le bain de teinture. Coupez environ 1 cm de la tige des fleurs avec un sécateur et placez-les dans un vase. Complétez la composition en disposant les œufs sur un nid de mousse sur une assiette.

Trésors immortels

························

*La nature nous propose un grand nombre de compositions
et de couleurs magnifiques qui ont des qualités éternelles
(ou dont on peut stimuler la longévité). Arpentez donc
la campagne, courez les marchands de fleurs séchées
et pillez votre propre placard à la recherche de fleurs,
de feuilles, d'herbes et même d'épices entières séchées.
Avec de la ficelle et du raphia vous ferez des cadeaux
nature qui enchanteront vos amis.*

Panier de lavande

Un panier décoré avec des bouquets de lavande séchée est une ravissante et aromatique façon de ranger le linge de maison. Vous pouvez aussi l'installer sur le buffet de la cuisine et y disposer des serviettes de table repassées de frais, qui seront ainsi à portée de main lorsque vous en aurez besoin.

FOURNITURES

Lavande séchée (2 bouquets pour l'anse + environ 1 bouquet tous les 10 cm)

Fil de fer
Ciseaux
Panier en osier

Pistolet à colle et bâtons de colle
Ficelle bleue

1

Confectionnez de petits bouquets avec six brins de lavande en moyenne pour recouvrir toute la bordure du panier. Attachez-les avec du fil de fer. Disposez les fleurs en quinconce de façon à optimiser la garniture. Coupez les tiges court.

2

Confectionnez avec le reste de la lavande douze bouquets plus gros de douze brins pour l'anse. Attachez-les avec du fil de fer.

3

Formez une étoile avec trois des bouquets les plus gros et liez-la avec du fil de fer. Répétez l'opération avec les neuf autres gros bouquets de façon à avoir quatre bouquets de lavande en étoile.

4

Fixez les petits bouquets à la bordure du panier, soit avec du fil de fer, soit avec de la colle à chaud. Commencez à une extrémité et avancez vers l'anse. Faites chevaucher les bouquets pour qu'ils recouvrent bien toute la largeur de la bordure.

5

Collez alors quelques fleurs de lavande pour boucher les trous éventuels, le fil de fer ou quelques tiges nues. Soignez la proximité de l'anse parce que vous aurez sans doute terminé à ce niveau là avec quelques tiges nues.

6

Enroulez du ruban bleu autour de l'anse. Attachez les quatre bouquets en étoile à la base de l'anse avec du fil de fer. Coupez les tiges de l'intérieur de l'anse plus court pour qu'elles ne dépassent pas. Recouvrez les liens en fil de fer avec la ficelle bleue.

Cœur de blé

Confectionnez un cœur à l'heure des moissons, lorsque le blé abonde, et vous obtiendrez une superbe décoration qui agrémentera avec bonheur un mur ou une commode tout au long de l'année. Contrairement à ce que son aspect délicat laisserait supposer, ce cœur est assez robuste et devrait durer de nombreuses années.

FOURNITURES
_____

Ciseaux
Fil de fer de gros diamètre
Ruban adhésif vert dit « de fleuriste »
Fil de fer de petit diamètre
Grosse brassée d'épis de blé

1

Coupez trois longueurs de fil de fer de gros diamètre et donnez-leur la forme d'un cœur. Torsadez les extrémités en bas du cœur.

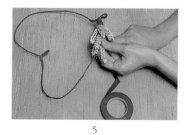

2

Avec du ruban adhésif vert, recouvrez le cœur en fil de fer.

3

Avec le fil de fer de petit diamètre, confectionnez suffisamment de petits bouquets d'épis de blé pour garnir généreusement le cœur en fil de fer.

4

En partant du bas, fixez le premier bouquet d'épis de blé sur le cœur avec du ruban adhésif.

5

Placez le deuxième bouquet un peu plus haut sur l'armature du cœur, derrière le premier, et fixez-le avec du ruban adhésif. Poursuivez jusqu'à ce que le cœur soit entièrement recouvert de blé.

6

Pour garnir la pointe du bas du cœur, liez six petits bouquets d'épis de blé avec du fil de fer, torsadez les brins de fil de fer et fixez le tout sur le cœur, en terminant avec du ruban adhésif pour que rien ne dépasse. La photo ci-contre vous montre comment doit être le dos du cœur une fois la garniture finie.

Topiaire fleuri

Les fleurs séchées donnent de superbes résultats lorsqu'on les sculpte en forme de topiaire. Ces immortelles et ces pieds-d'alouette piqués dans un grand cône font une étonnante composition de fleurs séchées. N'oubliez pas d'envelopper le pot dans un tissu de teinte assortie pour parfaire le bouquet.

FOURNITURES

*Petit pot de fleurs
Carré de tissu pour recouvrir le pot
Couteau
Petit cône en mousse synthétique
de fleuriste
4 tiges de fil de fer
Cône de 18 cm de long environ
en mousse synthétique
Ciseaux
Un bouquet de pieds-d'alouette
bleus séchés
Fil de fer fin, si besoin est
Un bouquet d'immortelles jaunes séchées*

1

Placez le pot au milieu du carré de tissu et rentrez les coins dans le pot. Repliez tous les morceaux de tissu qui dépassent.

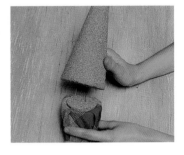

2

Coupez un cône de mousse pour l'intérieur du pot. Piquez quatre tiges de fil de fer dans le petit cône pour maintenir le grand. Fixez le grand cône de mousse sur le petit.

3

Retirez les fleurons des pieds-d'alouette en gardant les petites tiges pour les piquer dans le cône de mousse. Disposez-les en quatre rangées le long du cône pour le partager en quatre. Complétez avec d'autres fleurons pour obtenir quatre bandes bleues assez larges. Les tiges des fleurons seront assez solides pour percer la mousse. Remplissez ensuite ces quartiers avec les immortelles.

Boules feuillues ou fleuries

Les décorations ont toujours plus de charme si elles sont entièrement réalisées à partir de produits de la nature. Celles-ci sont simples à fabriquer : confectionnées à partir de feuilles de chêne et de hêtre et de fleurs d'hortensia séchées, elles sont parfaites pour décorer le sapin de Noël ou un centre de table.

FOURNITURES

Ciseaux
Fleurs d'hortensia séchées
(environ deux têtes pour une boule)
Pistolet à colle et bâtons de colle
Boules de mousse synthétique de fleuriste
de 7,5 cm de diamètre environ
Feuilles de hêtre glycérinées
Feuilles de chêne glycérinées ou teintes
Cire métallique (pâte à dorer
pour tous supports)

1

Détachez les petites fleurs des boules d'hortensia. Mettez de côté celles dont le dessus des pétales a la plus jolie couleur. Laissez-leur une petite queue, mais retirez les tiges des autres. Collez délicatement une fleur sur une boule de mousse, la partie supérieure de la fleur vers la mousse.

2

Continuez à coller les fleurs ainsi jusqu'à ce que la boule de mousse en soit entièrement recouverte.

3

Déposez un point de colle sur chacun des pétales de l'une des petites fleurs mises de côté. Collez-la sur la boule de mousse, la partie supérieure des pétales en l'air, par-dessus la première couche de pétales. Le contour des pétales sans colle va se relever et « friser » naturellement. Continuez ainsi jusqu'à ce que la boule soit recouverte de pétales « à l'endroit ». Pour confectionner les boules recouvertes de feuilles, commencez par dorer les feuilles de hêtre avec de la cire métallique. Collez ensuite les feuilles sur la boule, en les faisant se chevaucher légèrement pour bien recouvrir la mousse.

Pot d'hortensia

Avec des fleurs et des feuilles séchées, vous pouvez confectionner des cadeaux très simples mais néanmoins ravissants. Voici une suggestion à partir d'une boule d'hortensia qui fait à elle seule beaucoup d'effet.

FOURNITURES

Colle
Feuille de chêne séchée et teintée
Petit pot de fleurs
Raphia teint
Ciseaux
Boule d'hortensia séchée

1

Avec un point de colle, fixez la feuille de chêne sur le pot de fleurs, puis nouez un brin de raphia dessus.

2

Coupez la tige d'hortensia suffisamment courte pour que la boule coiffe le pot. Placez la boule de fleurs dans le pot.

Petits pots d'épices

Si vous voulez faire plaisir à un cordon-bleu, préparez un assortiment de parfums culinaires en disposant différents aromates et épices dans de petits pots en argile que vous glisserez dans un panier à bouteilles métallique.

FOURNITURES

Bâtons de cannelle
Feuilles de laurier séchées
Ail
Piments rouges séchés
Petits pots de fleurs en argile
Panier à bouteilles métallique
Fil de fer
Raphia

1

Placez les herbes et les épices dans les pots et glissez les pots dans le panier.

2

Confectionnez un cœur en fil de fer et enroulez du raphia autour, en laissant dépasser une bonne longueur au départ. Attachez le cœur au panier avec le brin de raphia. Terminez par un beau nœud.

Tableau végétal

Les feuilles « squelettisées » prennent parfois des formes si délicates et si jolies qu'on a envie de les exposer. Montez-les sur du papier fait maison et encadrez-les, vous obtiendrez de superbes collages naturels.

FOURNITURES

Cadre à tableau en bois
Papier de verre
Peinture
Pinceau
Canson ou autre carte pour le fond
Crayon
Ciseaux
Feuille « squelettisée »
Cire métallique (pâte à dorer tous supports)
Pistolet à colle et bâtons de colle
Papier support

1

Démontez le cadre et poncez-le pour que la peinture adhère bien. Peignez-le (nous avons ici opté pour un badigeon translucide, mais c'est à vous de choisir).

2

Laissez sécher la peinture, puis poncez à nouveau de façon à obtenir un cadre en bois avec des veines de couleur dans les moulures et un voile coloré sur la surface.

3

Prenez le fond du cadre en Isorel comme gabarit pour découper le Canson ou une autre carte. Tracez-en le contour au crayon.

4

Découpez le Canson.

5

Préparez la feuille en la frottant avec de la cire métallique. C'est une opération un peu longue car il faut bien faire pénétrer la cire.

6

Collez le Canson sur le fond du cadre, puis collez le papier support au centre du Canson et fixez la feuille « squelettisée ». Nous avons ici choisi de centrer la feuille et de faire dépasser le pétiole sur le Canson. Pour terminer, remontez le cadre.

Décorations de Noël

Dévalisez votre buffet et votre corbeille à ouvrages, ajoutez-y quelques trésors piochés dans le jardin et quelques tranches de fruits secs, et vous avez tous les ingrédients nécessaires à la confection de superbes décorations de Noël, que vous pouvez suspendre individuellement, accrocher au sapin, ou bien réunir en une jolie guirlande.

FOURNITURES

*Tiges en fil de fer
Bouquets de brindilles
Cire métallique (pâte à dorer tous supports)
Feuilles de laurier séchées
Tranches de poire séchée
Petites chutes de tissu
Tranches de pomme séchée
Tranches d'orange séchée
Petits élastiques
Bâtons de cannelle
Ficelle dorée (en option)
Morceaux de bougies en cire d'abeille (en option)*

1

Attachez ensemble plusieurs brindilles avec du fil de fer, puis dorez-les en les frottant avec de la cire métallique.

2

Confectionnez les « brochettes » de fruits : faites une boucle à l'extrémité d'une tige en fil de fer ; enfilez quelques feuilles de laurier, puis une tranche de poire séchée, en faisant passer la tige de bas en haut à travers la peau du fruit. Formez un crochet au sommet.

3

Attachez un morceau de tissu de couleur à la boucle du bas et un bout de tissu vert (nous avons ici utilisé de la mousseline synthétique) au sommet, en guise de feuilles. Confectionnez les « brochettes » de pomme en enfilant d'abord les épaisses tranches de fruit, puis les feuilles de laurier.

4

Prenez également des tranches de pomme plus fines. Passez une tige en fil de fer dans le cœur de deux tranches, puis recourbez-la et torsadez-en les extrémités au sommet. Faites de même avec les tranches d'orange.

5

Avec de petits élastiques, attachez ensemble plusieurs bâtons de cannelle.

6

Vous avez maintenant le choix : soit vous accrochez chaque décoration sur l'arbre, soit vous confectionnez une guirlande. On a ici attaché les divers éléments avec de la ficelle dorée, et noué des morceaux de bougies en cire d'abeille.

Sapin de Noël perpétuel

*Cet adorable petit arbre, confectionné à partir de feuilles de chêne séchées et teintes et orné
avec des pommes de pin dorées, fait une superbe décoration pour Noël. Faites-en plusieurs
et regroupez-les pour former un centre de table original, ou placez-en un à la place de chaque convive.*

FOURNITURES

*Couteau
Feuilles de chêne séchées et teintes
Fil de fer
Petites pommes de pin
Cire métallique
(pâte à dorer tous supports)
Pot de fleurs de 18 cm de haut
Petit cône en mousse synthétique sèche
4 tiges en fil de fer
Cône en mousse synthétique de 18 cm
de hauteur environ*

1

Détachez les feuilles des branches et égalisez
les pétioles. Confectionnez de petits
bouquets de quatre feuilles environ,
de tailles différentes que vous attachez
avec du fil de fer. Faites une pile de chaque
type de bouquets.

3

Préparez le pot de la même façon que pour le
topiaire de fleurs de la page 120 : découpez
le petit cône de mousse de façon qu'il rentre
dans le pot, mettez-le en place, puis piquez
des tiges de fil de fer sur lesquelles vous
placez le grand cône. Fixez les feuilles sur la
mousse en partant du haut. Commencez par
les bouquets de petites feuilles, puis ceux de
taille moyenne et les plus grandes en bas.
Ajoutez les pommes de pin dorées.

2

Insérez du fil de fer dans la base de chaque
pomme de pin et torsadez les extrémités.
Dorez chaque pomme de pin à la cire métallique.

Arbre à fruits

Les feuilles glycérinées font une base parfaite pour n'importe quel topiaire de végétaux secs. Vous pouvez les acheter en branches, déjà glycérinées, ou bien les préparer vous-même avec des feuillages de votre jardin. Nous les avons ici réunies en bouquet, ce qui donne au topiaire un aspect très fourni.

FOURNITURES

Sécateur
3 branches de feuilles de hêtre glycérinées
Tiges en fil de fer
Tranches de poire séchée
Boule de mousse de fleuriste de 13 cm
de diamètre environ
Pot de fleurs de 18 cm de hauteur

1

Retirez les feuilles des branches et coupez court les pétioles. Confectionnez de petits bouquets de quatre ou six feuilles de hêtre et torsadez les extrémités des brins de fil de fer.

2

Passez un fil de fer à travers les tranches de poire et torsadez-en les extrémités.

3

Recouvrez complètement de feuilles la partie de la boule de mousse qui émergera du pot.

4

Ajoutez les tranches de poire séchée et enfoncez la boule dans le pot.

Topiaire d'épices

Confectionnez un superbe topiaire aromatique à partir de clous de girofle et d'anis étoilé disposés dans un pot en argile, décoré de bâtons de cannelle, le tout couronné d'une croix en bâtons de cannelle. Piquer les clous de girofle est un geste enfantin, et le résultat en vaut la peine !

FOURNITURES

Petit pot de fleurs étroit en argile
Couteau
Bâtons de cannelle
Pistolet à colle et bâtons de colle
Cône en mousse synthétique de fleuriste
de 23 cm de haut environ
Petit cône en mousse synthétique
Tiges en fil de fer
Anis étoilé
Clous de girofle

1

Préparez le pot : coupez les bâtons de cannelle de la longueur du pot et collez-les.

2

Recoupez le grand cône de façon à lui donner une forme plus massive. Recoupez le petit pour qu'il entre dans le pot, et mettez-le en place.

3

Piquez quatre tiges en fil de fer dans le petit cône de mousse et plantez le grand dessus.

4

Triez les fleurs d'anis étoilé et réservez-en une vingtaine parmi celles qui sont entières et celles qui le sont presque. Passez un fil de fer sur le devant de l'étoile, puis croisez-en un autre sur le premier et torsadez les quatre brins à l'arrière de l'étoile. Coupez à 1 cm de la fleur environ.

5

Disposez l'anis étoilé en rangées qui descendent le long du cône (environ trois par rangée) de façon à diviser le cône en quatre parties. Piquez encore deux fleurs d'anis entre chaque partie, puis remplissez l'espace restant avec les clous de girofle, en serrant suffisamment pour couvrir la mousse.

6

Collez deux petits morceaux de bâton de cannelle en croix. Consolidez le tout avec du fil de fer et plantez-le au sommet pour couronner le topiaire.

Pot de fleurs séchées

C'est lorsqu'elles sont bien serrées et que l'on voit peu leurs tiges que les fleurs séchées sont le mieux mises en valeur. Voici un bel exemple : des roses et de la lavande joliment disposées dans un pot de fleurs en argile, autour duquel on a noué un brin de raphia.

FOURNITURES

Couteau
Petit cône en mousse synthétique sèche
Petit pot de fleurs en argile
Boutons de roses séchés
Ciseaux ou sécateur
Lavande séchée
Raphia teint
Pistolet à colle et bâtons de colle

1

Recoupez le cône de mousse pour qu'il épouse parfaitement la forme du pot. Piquez les boutons de rose tout autour de la mousse.

2

Coupez les tiges de lavande à environ 1 cm et remplissez le centre du bloc de mousse. Nouez un brin de raphia autour du pot et fixez-le avec un point de colle au dos du pot.

TRÉSORS IMMORTELS
....

Panier perpétuel

Les boules d'hortensia séchées donnent une telle abondance de fleurs flamboyantes que l'on peut se contenter de les disposer dans un panier. Ces fleurs comptent aussi parmi les plus faciles à faire sécher chez soi. Il suffit de mettre les fleurs coupées dans 1 cm d'eau environ et de les laisser. Les fleurs absorberont l'eau puis sécheront petit à petit.

FOURNITURES

Couteau
Mousse synthétique de fleuriste
Panier en bois peint
Boules d'hortensias séchées
Artichauts séchés
Ruban

1

Découpez le bloc de mousse de façon à pouvoir en garnir entièrement le panier. Disposez ensuite les boules d'hortensia pour recouvrir la mousse.

2

Ajoutez les artichauts séchés à une extrémité pour jouer sur la texture.

3

Attachez un ruban sur l'anse du panier et faites un beau nœud.

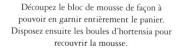

135

Couronne d'herbes sèches

Une couronne d'herbes séchées, riche en lavande, donne une suspension aromatique d'une texture très intéressante. Nous avons incorporé dans celle-ci de l'armoise, de l'estragon, de la livèche et de grosses fleurs de lavande.

FOURNITURES

Ciseaux
Fil de fer
Lavande séchée
Armoise séchée
Livèche séchée
Estragon séché
Pistolet à colle et bâtons de colle
Petite couronne-support en osier
Fleurs de lavande séchées

1

Confectionnez de petits bouquets avec toutes les herbes séchées (à l'exception des fleurs de lavande), et attachez-les avec du fil de fer.

2

Fixez un bouquet de lavande sur la couronne-support avec un point de colle.

3

Collez ensuite un bouquet d'armoise sur la couronne.

4

Continuez à garnir la couronne-support en collant un bouquet de livèche.

5

Poursuivez ainsi tout autour de la couronne, en alternant les différentes espèces d'aromates de façon à recouvrir entièrement la base. L'estragon donnera à l'ensemble un aspect un peu vaporeux.

6

Ajoutez enfin quelques fleurs de lavande çà et là pour donner du volume.

Collage « carte postale » à la cannelle

Cet amusant collage a été confectionné avec des cosses de graines tropicales et des bâtons de cannelle fixés sur un carré de mousseline de lin. Le cadre a été décoré avec des bâtons de cannelle géants, collés sur les montants en bois. Il prend une signification toute particulière dans les pays anglo-saxons, où l'on retrouve ces symboles au bas des lettres et cartes postales, en guise de formule de politesse informelle.

FOURNITURES

Cadre en bois
Canson ou autre carte de couleur brune
Ciseaux
Mousseline de lin
Pistolet à colle et bâtons de colle
Couteau
Petits bâtons de cannelle
Fil de fer
Cosses de graines tropicales
en forme de cœur ou autres
4 bâtons de cannelle géants

1

Retirez le verre du cadre et collez le Canson ou une autre carte sur le fond en Isorel. Découpez un rectangle de mousseline de la taille appropriée et effilochez les bords. Mettez quelques points de colle tout autour du carré de mousseline et collez-le sur le Canson.

2

Avec six petits bâtons de cannelle, confectionnez trois croix. Collez les bâtons ainsi assemblés, puis consolidez les croix avec du fil de fer, croisé lui aussi.

3

Collez les cosses en haut du tableau ; collez ensuite les « bisous » en cannelle au-dessous.

4

Terminez par le cadre. Coupez deux bâtons de cannelle géants de la longueur du cadre, et deux de la largeur du cadre. Commencez par coller un bâton sur le montant supérieur du cadre, puis sur celui du bas. Terminez par les côtés.

Artichauts séchés

*La ravissante teinte rosée que prennent certains artichauts en séchant est trop jolie
pour qu'on la cache dans un récipient. Mettez-la en valeur en posant les artichauts en équilibre
sur des pots recouverts de mousseline de lin.*

FOURNITURES

*Petit pot de fleurs
Carré de mousseline de lin
Raphia teint
Artichauts séchés avec une teinte
rose-violacé*

1

Placez le pot au milieu du carré
de mousseline et rentrez les coins du tissu
dans le pot.

2

Nouez un lien de raphia autour du pot pour
maintenir le tissu en place. Disposez les
artichauts en équilibre sur le pot pour
mettre en évidence les nuances de couleur
à la base des fruits.

Pomme d'ambre aux épices

A l'origine, les pommes d'ambre étaient des boules de senteur naturelles qui faisaient office de désodorisants. Les boules d'ambre traditionnelles à l'orange sont assez difficiles à fabriquer, parce que leur séchage est un processus délicat qui peut aisément échouer et donner une orange pourrie. Aussi vous proposons-nous ici un modèle à base de clous de girofle et de gousses de cardamome qui ne pose pas ce type de problèmes. Il est en outre très rafraîchissant, et présente de jolies teintes pastel.

FOURNITURES

Clous de girofle
Boule de mousse synthétique de fleuriste
de 7,5 cm de diamètre environ
Pistolet à colle et bâtons de colle
Gousses de cardamome vertes
Raphia
Tige en fil de fer

1

Commencez par piquer une rangée de clous de girofle tout autour de la boule de mousse. Recommencez ensuite l'opération de façon à diviser la boule en quartiers.

2

Épaississez les premières lignes en piquant une rangée de clous de girofle de part et d'autre des lignes d'origine.

3

En commençant en haut du premier quartier, collez les gousses de cardamome sur la mousse. Procédez de façon méthodique, en rangées, pour obtenir un résultat bien net. Répétez l'opération sur les trois autres quartiers.

4

Faites un nœud au milieu d'un brin de raphia. Passez ensuite une tige en fil de fer dans le nœud et torsadez les extrémités.

5

Fixez le nœud de raphia au sommet de la
pomme d'ambre avec la tige en fil de fer.

6

Nouez enfin les deux brins de raphia pour
pouvoir suspendre la pomme d'ambre.

Cadeaux rustiques

Rien ne fait davantage plaisir que des cadeaux inspirés par les traditions de la vie à la campagne. Ils sont en phase avec les saisons et résistent à l'épreuve du temps. Rassemblez donc tous les matériaux naturels que vous trouvez (coquillages, papiers, tissus en fibres naturelles, fil de fer...) et confectionnez un objet unique, très personnel, qui ravira son destinataire.

CADEAUX RUSTIQUES

« Oreiller somnifère »

Nombreux sont ceux qui croient encore aux vertus de ces fameux « oreillers somnifères », qui sont
traditionnellement remplis de camomille et de houblon. Le houblon étant de la même famille que le
cannabis, ses fleurs donnent une impression de bien-être cotonneux, tandis que la camomille détend.
Vous pouvez soit acheter un mélange soporifique tout prêt, soit le confectionner vous-même avec des
fleurs de camomille, de la citronnelle et un peu de houblon. Remplissez-en un coussin que vous décorez
de quelques passementeries, posez-le sur votre lit et préparez-vous à une bonne nuit de sommeil.

FOURNITURES

Bande de mousseline de lin 2 m x 20 cm
(vous pouvez réunir deux ou plusieurs
morceaux plus petits)
Épingles, aiguille et fil à coudre
Ciseaux
Tissu en pur coton 50 x 25 cm
Mélange de plantes relaxantes
1 m de dentelle à l'ancienne
1 m de ruban de 1 cm de large
4 boutons en nacre

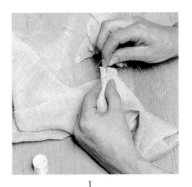

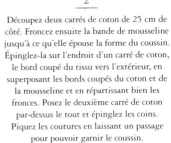

1

Préparez la bordure en mousseline de lin en
cousant plusieurs morceaux de tissu de façon
à obtenir une bande de 2 m par 20 cm.
Endroit sur endroit, cousez ensuite les deux
extrémités de la bande pour former un
anneau. Égalisez les coutures. Repliez
l'anneau de tissu en deux dans le sens de la
longueur, envers sur envers, et faites une
couture près du bord coupé du tissu de façon
à pouvoir le froncer.

2

Découpez deux carrés de coton de 25 cm de
côté. Froncez ensuite la bande de mousseline
jusqu'à ce qu'elle épouse la forme du coussin.
Épinglez-la sur l'endroit d'un carré de coton,
le bord coupé du tissu vers l'extérieur, en
superposant les bords coupés du coton et de
la mousseline et en répartissant bien les
fronces. Posez le deuxième carré de coton
par-dessus le tout et épinglez les coins.
Piquez les coutures en laissant un passage
pour pouvoir garnir le coussin.

3

Retournez le coussin à l'endroit et
remplissez-le avec le mélange de plantes
relaxantes. Fermez-le avec quelques points
de couture.

4

Cousez la dentelle à petits points
sur le coussin à environ 2,5 cm de la bordure
en mousseline.

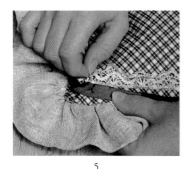

5

Cousez ensuite le ruban à côté de la dentelle,
en faisant un joli pli en diagonale
aux quatre coins.

6

Terminez en cousant un bouton en nacre
à chaque coin du coussin.

Dessous-de-plat parfumé aux épices

Protégez vos nappes des casseroles chaudes avec un dessous de plat parfumé garni de cannelle, de clous de girofle et de feuilles de laurier. La chaleur de la casserole dégage immédiatement le parfum des épices du dessous de plat, uniformément réparties grâce à des points qui rappellent ceux des matelas.

FOURNITURES

Ciseaux
Coutil (au moins 62 × 55 cm)
Épingles, aiguille et fil à coudre
Mélange d'épices pour la
garniture (feuilles de laurier

séchées, clous de girofle, bâtons
de cannelle)
Grosse aiguille à matelasser
Ficelle à matelas en lin ou en
coton

1

Commencez par préparer la boucle pour suspendre le dessous de plat, en coupant une bande de 5 × 30 cm. Repliez-la en deux, endroit sur endroit, dans le sens de la longueur. Cousez le long côté en laissant les extrémités ouvertes. Retournez le tissu et une fois à l'endroit, repassez-le. Repliez en deux pour former une boucle. Découpez ensuite deux rectangles de tissu de 62 × 50 cm.

2

Placez les deux rectangles de toile sur une surface plane, endroit sur endroit, et glissez la boucle de tissu dans un angle, entre les deux épaisseurs de tissu, les bords coupés vers l'extérieur.

3

Épinglez et cousez les deux rectangles de toile sur l'envers en laissant un passage de 7,5 cm environ ouvert. Retournez le tissu sur l'endroit.

4

Garnissez le coussin avec les épices.

5

Fermez l'ouverture de quelques points glissés.

6

Avec une aiguille à matelasser solide et de la ficelle à matelas, faites quatre points de couture sur le coussin, à égale distance des deux côtés, en repoussant les épices des doigts en cousant pour ne pas les coincer sous la couture. Détorsadez les brins de ficelle pour donner un peu de fantaisie. Faites un nœud avec les deux brins pour que la ficelle reste bien en place.

CADEAUX RUSTIQUES

....

Sachets de lavande

Avec des chutes de tissu, appliquez des motifs naïfs sur de jolis carrés de tissu écossais, et confectionnez
de petits sachets. Garnissez-les de lavande, et vous pourrez parfumer vos armoires et vos tiroirs.
Inspirés par l'artisanat populaire, ces sachets connaissent un succès universel.

FOURNITURES

Ciseaux
Chutes de tissu
Papier fin pour reproduire les patrons
Épingles, aiguille et fil à coudre
Fil à broder à plusieurs brins de
différentes couleurs
Lavande séchée en vrac
Bouton

1

Coupez deux carrés de tissu de 15 cm de côté environ. Si vous utilisez un tissu écossais ou rayé, laissez le motif vous guider pour la taille exacte des carrés. Faites un patron à l'échelle pour l'oiseau et son aile, et découpez les pièces dans des tissus de couleur contrastante. Épinglez et faufilez l'oiseau sur l'endroit de l'un des carrés de tissu.

2

Cousez l'oiseau à points glissés sur le devant du sachet, en repliant les bords au fur et à mesure que vous cousez. Répétez l'opération avec l'aile.

3

Avec trois brins de fil à broder de couleurs différentes, faites une couture décorative au point droit autour de l'oiseau et de son aile.

4

Faites quelques points plus longs sur la queue pour représenter les plumes. Cousez le bouton en guise d'œil.

5

Posez les deux carrés de tissu endroit sur endroit et cousez-les en laissant une ouverture de 5 cm. Retournez le sachet à l'endroit et repassez-le. Garnissez-le de lavande séchée et fermez l'ouverture avec quelques points glissés.

Cœur de lavande

Ce ravissant sachet de lavande en forme de cœur, qui rappelle l'époque victorienne, est en mousseline crème toute simple, puis bordé de dentelle à l'ancienne et de ruban de satin. Au sommet du cœur, un ruban de mousseline de soie est noué en une boucle qui permet de l'accrocher à un cintre pour parfumer votre vêtement préféré.

FOURNITURES

Papier pour faire les patrons	Épingles, aiguille et fil à coudre	50 cm de dentelle à l'ancienne
Ciseaux	Fil à broder	50 cm de ruban de satin très
Mousseline de lin très soyeuse	Bouton de nacre	étroit
(60 X 20 cm environ)	Lavande séchée en vrac	50 cm de ruban plus large

1

Faites un patron en forme de cœur de 15 cm de hauteur environ. Avec ce patron, découpez quatre cœurs dans la mousseline. Faufilez-les deux par deux de façon à obtenir deux cœurs de double épaisseur.

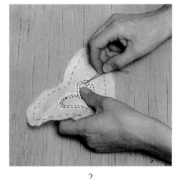

2

Découpez un cœur plus petit dans la mousseline, et cousez-le au point droit au centre de l'un des deux grands en utilisant deux brins de fil à broder. Faites une deuxième couture au point droit à l'intérieur de la première.

3

Cousez le bouton en haut du petit cœur.

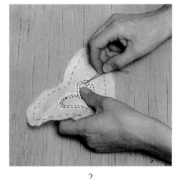

4

Faites une troisième couture au point droit à l'intérieur des deux premières. Effilochez les bords du petit cœur. Mettez les deux grands cœurs doubles endroit sur endroit et cousez-les en laissant une ouverture de 5 cm environ. Égalisez les coutures, entaillez dans l'ourlet au niveau du V du cœur et retirez la pointe inférieure dans les limites de la couture. Retournez le cœur à l'endroit, garnissez-le de lavande et fermez l'ouverture avec quelques points glissés. Ne soyez pas déçu si le cœur n'est pas très joli à ce stade.

<u>5</u>

Cousez délicatement la dentelle tout autour
du cœur au point glissé.

<u>6</u>

Cousez ensuite le ruban de satin étroit
sur le bas de la dentelle.

<u>7</u>

Terminez en faisant un beau nœud avec le
ruban plus large que vous cousez en haut du
cœur. Avec les longs brins qui partent du
nœud faites faire une boucle pour le
suspendre sur un cintre dans votre penderie.

Sachet à herbes de bain

Garnissez un sachet en mousseline fine d'herbes aromatiques, attachez-le au robinet de la baignoire et laissez l'eau chaude couler dessus : vous aurez alors le plaisir de prendre un bain parfumé à l'ancienne. Le sachet pourra servir plusieurs fois, à condition bien sûr de changer la garniture. La camomille et le houblon détendent, le basilic et la sauge revigorent : à vous de choisir !

FOURNITURES

Mousseline soyeuse (30 × 40 cm environ) Épingles, aiguille et fil à coudre

Ciseaux Chutes de tissu 1 m de ruban étroit

Mélange tout prêt d'herbes aromatiques pour le bain ou bien un mélange de votre composition

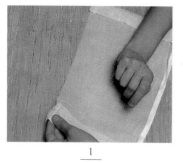

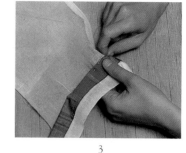

1
Repliez environ 5 cm, endroit sur endroit, sur les deux petits côtés de la mousseline. Épinglez et cousez chaque côté. Égalisez les coutures, puis retournez le tissu.

2
Rentrez le bord coupé des deux ourlets que vous venez de faire et cousez-le.

3
Coupez deux bandes de tissu en coton de 2,5 cm de large environ et longues de la largeur de la mousseline, en prévoyant une marge de 5 mm de chaque côté pour rentrer le tissu. Avec un fer à repasser, marquez un ourlet sur chacun des deux longs côtés. Rentrez et cousez les extrémités, puis épinglez une bande de coton sur l'endroit de la mousseline en alignant le bord inférieur de la bande de coton sur l'ourlet de la mousseline. Cousez la bande de coton sur ses deux longs côtés. Répétez l'opération avec l'autre bande de cotonnade.

4
Repliez la mousseline endroit sur endroit en alignant les deux bandes de cotonnade. Cousez les côtés en partant du bord inférieur de la bande de coton jusqu'au fond du sachet. Égalisez les coutures.

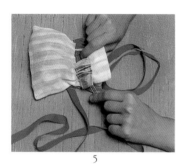

5

Coupez le ruban en deux, attachez une
épingle de sûreté à une extrémité et enfilez
le ruban dans une bande de cotonnade, en
conservant la même longueur de ruban de
chaque côté. Retirez l'épingle de sûreté.

6

Attachez l'épingle de sûreté à une extrémité
du second ruban et enfilez-le dans l'autre
bande de cotonnade. Garnissez le sachet
d'herbes aromatiques et serrez les rubans :
le sachet est prêt à l'emploi.

Pot garni de coquillages

Décorez un pot de fleurs avec des coquillages et un morceau de filet à provision, puis servez-vous en pour mettre des crayons, des pinceaux, des ficelles, des rubans, une plante ou tout autre chose. Voilà une méthode peu coûteuse pour personnaliser un pot en argile.

FOURNITURES

Vieux filet à provisions
Pot de fleurs de 18 cm de hauteur
Ciseaux
Pistolet à colle et bâtons de colle
Grosse ficelle
Petites porcelaines
Coques
Étoile de mer ou autre motif central

1

Glissez le pot de fleurs dans le filet et coupez celui-ci à la bonne dimension. Fixez-le en collant de la ficelle autour du pot.

2

Avec un pistolet à colle, collez une rangée de porcelaines sur le bord supérieur du pot.

3

Collez les coques autour du pot, puis l'étoile de mer au milieu et une coque entre chaque branche de l'étoile.

CADEAUX RUSTIQUES

Coffret garni de coquillages

Une simple boîte recouverte de papier kraft prend un air des mers du Sud lorsqu'on la décore avec des demi-porcelaines que vous trouverez dans certains magasins spécialisés. Leur base aplatie en facilite le collage. Ici, nous en avons également enfilé quelques-unes sur un brin de raphia pour confectionner une sorte de fermoir.

FOURNITURES

*Pistolet à colle et bâtons de colle
Raphia
Petite boîte marron clair
Demi-porcelaines
Aiguille à matelasser*

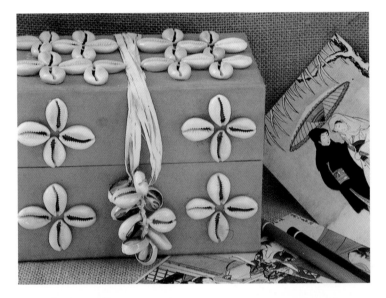

1

Collez une boucle de raphia en partant
du fond de la boîte, puis en longeant le fond
et le dessus.

2

Attachez des demi-porcelaines sur un brin
de raphia, en faisant un nœud après chaque
coquillage. Percez le devant de la boîte avec
une aiguille et faites passer le brin de raphia
par ce trou. Nouez-le à l'intérieur.

3

Collez les demi-porcelaines restantes
sur le dessus et les côtés de la boîte selon
le motif qui vous plaira.

155

Bougie et coquillages

Un vieux pot de fleurs, quelques coquilles Saint-Jacques glanées chez le poissonnier et quelques coquillages plus petits ramassés sur la plage, voilà de quoi réaliser un centre de table d'inspiration vénusienne. Vous pouvez ensuite soit mettre une bougie en son centre, soit remplir le pot de fruits secs ou de fleurs, à votre guise.

FOURNITURES

*Pistolet à colle et bâtons de colle
8 coquilles Saint Jacques
Pot de fleurs de 18 cm de haut
Coques
Papier journal, mousse synthétique
ou autre matériau de remplissage
Soucoupe
Bougie
Raphia*

1

Avec le pistolet, appliquez une bonne couche de colle à l'intérieur de la base d'une coquille Saint-Jacques creuse. Placez-la sur le rebord du pot et tenez-la quelques secondes jusqu'à ce qu'elle soit bien collée. Répétez l'opération avec d'autres coquilles que vous disposerez sur le rebord du pot en les faisant chevaucher légèrement, jusqu'à ce que tout le rebord soit garni.

2

De la même façon, collez une coque à l'endroit où deux coquilles Saint-Jacques se rejoignent. Continuez ainsi tout autour du pot.

3

Collez une autre rangée de coques en les intercalant avec les premières. Collez ensuite des coquilles Saint Jacques plates sur le fond du pot pour confectionner le socle, d'abord devant, puis derrière, et enfin sur les côtés, en veillant à ce que le pot tienne debout.

4

Remplissez le pot de papier journal ou autre matériau et placez une soucoupe dessus. Posez une bougie sur la soucoupe.

5

Nouez du raphia autour du pot, au niveau du raccord avec le socle.

6

Décorez le socle avec quelques coques si vous le souhaitez. Placez encore quelques coquilles Saint-Jacques creuses à l'intérieur de la première rangée, pour renforcer l'impression de pétales de fleurs.

CADEAUX RUSTIQUES

Miroir aux coquillages

Les subtiles teintes rosées des coquilles Saint-Jacques que vous aurez glanées chez votre poissonnier feront un superbe encadrement pour un miroir, simple à réaliser et de plus parfaitement écologique ! Nous avons ici pris les quatre plus grosses pour les coins et collé de plus petits modèles sur les côtés.

FOURNITURES

Papier de verre
Miroir avec un cadre en bois
Peinture
Brosse
4 coquilles Saint-Jacques plates
Pistolet à colle et bâtons de colle
10 petites coquilles Saint-Jacques plates
Ficelle en coco
2 anneaux métalliques

1

Poncez le cadre du miroir au papier de verre et peignez-le de la couleur de votre choix.

2

Placez les quatre grandes coquilles Saint-Jacques dans les coins du miroir, et collez-les avec le pistolet.

3

Collez de la même façon trois coquilles plus petites de chaque côté du miroir.

4

Fixez deux petites coquilles en haut du miroir, et deux en bas.

5

Tressez trois longueurs de ficelle.

6

Vissez un anneau métallique de chaque côté au dos du cadre, et attachez-y la ficelle tressée. Votre miroir est prêt.

158

Cœur en grillage

C'est dans l'abri à outils du jardin que nous avons trouvé les fournitures qui nous ont permis de réaliser ce cœur. Il suffit de découper deux morceaux de grillage en forme de cœur et de les relier pour avoir un objet en trois dimensions, puis de décorer ce dernier avec de la ficelle. Ce cœur peut aussi bien être suspendu à l'intérieur qu'à l'extérieur. Tout dépend du type de ficelle qui le décore.

FOURNITURES

Papier journal pour faire le patron
Ciseaux
Grillage à poule
Pinces coupantes ou sécateur
Ficelle de papier ou tout autre type
de ficelle assez solide

1

Découpez un patron en forme de cœur de 35 cm de longueur environ dans le papier journal. Servez vous de ce gabarit pour découper deux cœurs dans du grillage.

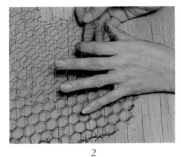

2

Mettez les cœurs en grillage l'un sur l'autre et recourbez les bords fortement vers l'intérieur de façon à réunir les deux cœurs.

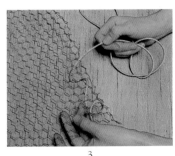

3

Passez une ficelle tout autour du double cœur, en laissant dépasser deux bonnes longueurs de ficelle au centre. Attachez un autre morceau de ficelle au centre du cœur pour faire une boucle qui permette de le suspendre.

CADEAUX RUSTIQUES
....

Cœur en raphia

Qui se douterait que derrière ce frêle cœur se cache un cintre métallique ? Il suffit pourtant de couper le crochet et de tordre le cintre pour lui donner la forme d'un cœur autour duquel on enroule ensuite du raphia. Un cœur similaire, mais de taille plus réduite, confectionné avec du fil de fer en bobine, complète le tableau.

FOURNITURES
_____

Cintre métallique
Pinces coupantes ou sécateur
Raphia
Fil de fer en bobine

1

Tordez le cintre pour lui donner la forme d'un cœur. Coupez le crochet.

2

Commencez à enrouler le raphia autour du cintre en partant du milieu et en laissant une bonne longueur de raphia libre. Lorsque vous avez recouvert tout le fil métallique, nouez les deux brins de raphia.

3

Confectionnez un plus petit cœur avec du fil de fer et enveloppez-le de raphia. Accrochez-le à l'intérieur du grand cœur. Attachez une boucle en raphia à celui-ci pour pouvoir suspendre le tout.

Papeterie personnalisée

Personnalisez votre chemise, dossier ou cahier, avec ce qui vous tombe sous la main.
Ici, un coquillage ou un bouquet de bâtons de cannelle associé à une boucle en raphia ou en ficelle,
font un élégant fermoir parfaitement inédit.

FOURNITURES

Chemise en carton brun unie,
cahier ou autre dossier
Coquillage ou bâtons de cannelle
Aiguille de tapissier
Raphia ou ficelle
Pistolet à colle et bâtons de colle
2 petits carrés de papier kraft

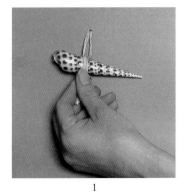

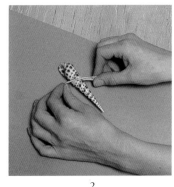

1

Trouvez le meilleur emplacement pour votre
fermoir. Avec une aiguille de tapissier,
percez un trou à cet endroit-là. Faites passer
une boucle de raphia ou de ficelle par le trou
de l'arrière vers l'avant. Faites ensuite passer
un petit brin de raphia (ou de ficelle)
dans cette boucle.

2

Nouez le petit morceau de raphia
(ou de ficelle) autour du coquillage
ou du bâton de cannelle. Consolidez le tout
avec un point de colle.

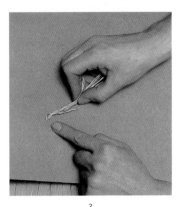

4

Sur le dos du dossier, percez un trou en face
de celui de la couverture avant. Enfilez une
boucle de raphia par le trou. Vérifiez la
longueur en ramenant le brin devant et en
essayant d'ouvrir et de fermer le « fermoir »,
sans oublier de prévoir un peu de marge
pour pouvoir faire un nœud qui maintienne
la boucle en place. Nouez le raphia à
l'intérieur.

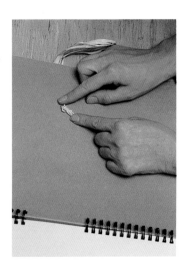

3

Ouvrez la chemise ou le cahier. Nouez le
brin de raphia au ras de la couverture.
Coupez ce qui dépasse.

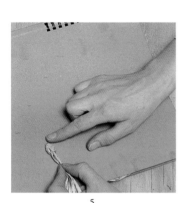

5

Fermez le cahier ou la chemise et faites un
autre nœud près de la couverture sur
l'extérieur de façon à fixer la boucle
fermement. Vérifiez une dernière fois
la taille de la boucle et rectifiez les nœuds
si nécessaire.

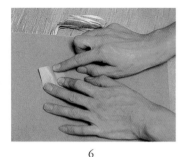

6

Recouvrez les nœuds qui sont à l'intérieur de
la couverture en collant un petit carré de
papier kraft pour éviter qu'ils n'abîment les
feuilles de papier, ou qu'ils ne les tachent (au
cas où vous avez choisi une ficelle teintée ou
une lanière de cuir par exemple).

Emballage-cadeau avec feuille en filigrane

Même le papier kraft le plus simple peut prendre un air de fête. Il suffit d'y ajouter une feuille « squelettisée » dorée et de la ficelle dorée. Une ficelle en jute donnerait un effet plus rustique.

FOURNITURES

Cire métallique (pâte à dorer tous supports)
Grande feuille « squelettisée »
Papier kraft
Ruban adhésif
Ficelle dorée
Pistolet à colle et bâtons de colle,
si besoin est

1

Frottez la feuille « squelettisée »
avec de la pâte à dorer.

2

Emballez le cadeau dans du papier kraft et
frottez les coins avec la pâte à dorer. Nouez
une ficelle dorée autour du paquet, et
effilochez le nœud pour obtenir une sorte de
houppe. Glissez la feuille sous la ficelle, et
fixez-la avec un point de colle, si besoin est.

Emballage-cadeau avec feuilles et fruits séchés

Ici, le papier kraft doré met en valeur une décoration à base de feuilles
et de tranches de fruits séchés.

FOURNITURES

Papier kraft
Ruban adhésif
Cire métallique
Ficelle en coco
Pistolet à colle et bâtons de colle
Tranches de fruits séchés
Feuilles séchées

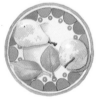

1

Emballez le cadeau avec du papier kraft
et frottez-le, notamment les coins,
avec de la pâte à dorer.

2

Nouez une ficelle en coco autour du paquet,
puis collez une feuille ou un fruit différent
dans chaque quartier.

Rosette en papier de soie

Les papiers de soie permettent de réaliser de superbes emballages cadeau : ils existent en effet dans toute une variété de couleurs, et ils peuvent épouser sans problème à peu près n'importe quelle forme.

FOURNITURES

Papier de soie de deux couleurs différentes
Ficelle coordonnée

1

Placez un cadeau cylindrique au centre de deux carrés de papier de soie superposés. Resserrez le papier vers le haut et attachez-le au sommet du cadeau avec une ficelle.

2

Ouvrez délicatement la rosette de papier de soie au sommet de l'emballage.

Emballage cadeau avec papier de soie et lavande

Ces quelques brins de lavande font toute la différence sur un emballage cadeau en papier de soie.

FOURNITURES

Brins de lavande séchée
Ficelle
Papier de soie de deux couleurs différentes
Ruban adhésif
Colle

1

Faites deux petits bouquets avec la lavande et attachez-les en croix avec la ficelle.

2

Emballez le cadeau dans le papier de soie le plus foncé, puis complétez avec le second papier, découpé de façon à faire ressembler le tout à une enveloppe. Collez la lavande sur le paquet.

Bouteille de lotion pour le bain

Recyclez une bouteille en verre, remplissez-la de lotion maison et décorez-la avec du carton ondulé couleur de pierre précieuse. L'effet est assuré.

FOURNITURES

Ciseaux
Carton ondulé de couleur
Bouteille d'eau de fleurs
Pistolet à colle et bâtons de colle
Raphia de couleur

1

Découpez le carton ondulé aux bonnes dimensions, puis collez-le autour de la bouteille. Nouez un brin de raphia tout autour.

2

Découpez une étiquette dans le même carton et accrochez-la au goulot de la bouteille avec un brin de raphia.

Pot à perles de bain

Décorez un bocal avec du carton ondulé de couleur, pour compléter la bouteille, et remplissez-le de lotion, de sels ou de perles de bain. Bleu saphir et vert émeraude sont deux couleurs qui vont très bien ensemble et que vous pouvez offrir aux hommes comme aux femmes.

FOURNITURES

Ciseaux
Carton ondulé de couleur
Petit pot de bébé
Pistolet à colle et bâtons de colle
Ficelle

1

Découpez le carton ondulé à la bonne dimension, puis collez-le autour du pot. Nouez ensuite une ficelle assortie autour du pot.

2

Découpez un morceau de carton ondulé pour recouvrir le couvercle et collez-le dessus. Collez enfin de la ficelle tout autour du couvercle pour cacher les bords.

La cuisine de la campagne

LIZ TRIGG

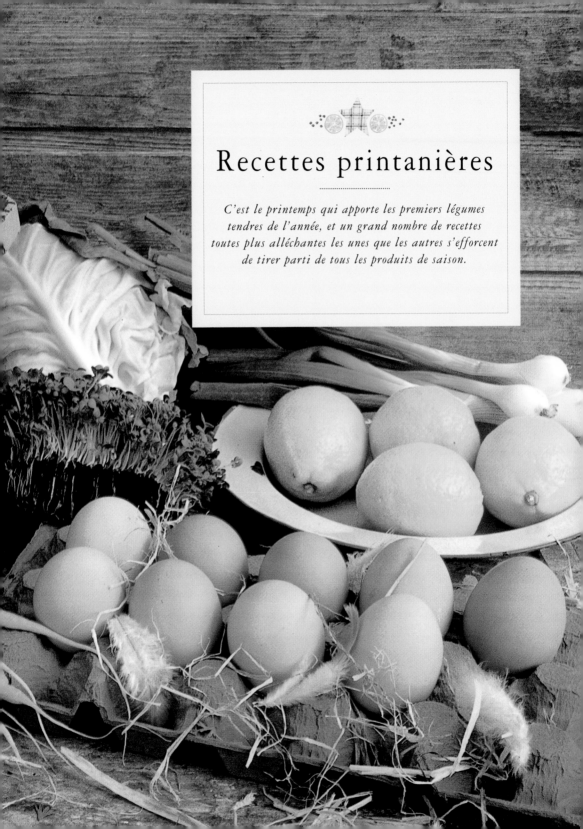

Recettes printanières

*C'est le printemps qui apporte les premiers légumes
tendres de l'année, et un grand nombre de recettes
toutes plus alléchantes les unes que les autres s'efforcent
de tirer parti de tous les produits de saison.*

Poulet rôti à l'ail et aux herbes fraîches

Vous pouvez également faire rôtir ainsi un poulet plus petit, ou quatre coquelets.

INGRÉDIENTS

Pour 4 personnes

1 poulet de 1,750 kg
Jus et zeste d'un citron
1 gousse d'ail pressée
2 cuillerées à soupe d'huile d'olive
2 brins de thym frais
2 brins de sauge fraîche
75 g de beurre ramolli
Sel et poivre fraîchement moulu

1

Assaisonnez bien le poulet. Mélangez le zeste et le jus de citron, l'ail et l'huile d'olive et versez le tout sur le poulet. Laissez mariner au moins deux heures dans un plat non métallique. Préchauffez ensuite le four à 230°.

2

Mettez les aromates à l'intérieur du poulet et tartinez-le de beurre. Salez, poivrez. Faites rôtir 10 minutes, puis baissez le four à 190°. Arrosez généreusement le poulet de son jus et remettez-le au four pour une heure et demie. Il est cuit lorsque le jus qui s'écoule quand on pique une cuisse avec une fourchette est transparent. Laissez-le reposer un quart d'heure avant de le découper.

Côtelettes d'agneau au citron et au romarin

L'agneau de printemps est délicieux, et le citron relève encore sa saveur.
Quelques brins de romarin, et l'arôme est irrésistible !

INGRÉDIENTS

Pour 4 personnes

12 côtelettes
3 cuillerées à soupe d'huile d'olive
2 gros brins de romarin
Jus d'un citron
3 gousses d'ail émincées
Sel et poivre noir fraîchement moulu

1

Enlevez le gras des côtelettes. Mélangez l'huile, le romarin, le jus de citron et l'ail, salez et poivrez.

2

Versez le mélange sur les côtelettes dans un plat et laissez mariner une demi-heure. Tamponnez ensuite les côtelettes avec du papier absorbant et faites-les griller 10 minutes de chaque côté.

Soufflés aux carottes et à la coriandre

Pour ce plat léger comme l'air, choisissez de préférence des carottes nouvelles.

INGRÉDIENTS

Pour 4 personnes

450 grammes de carottes
2 cuillerées à soupe de coriandre
fraîche hachée
4 œufs
Sel et poivre noir fraîchement moulu

1

Pelez les carottes et coupez-les
en petits morceaux.

2

Faites-les cuire dans de l'eau bouillante salée
pendant 20 minutes, moins si elles sont très
tendres. Égouttez-les et réduisez-les en purée
avec un robot ménager.

3

Préchauffez le four à 200°. Salez et poivrez
bien la purée de carottes, ajoutez la coriandre
hachée.

4

Ajoutez les jaunes d'œufs au mélange
carottes-coriandre.

5

Dans un autre saladier, battez les blancs
en neige ferme.

6

Incorporez les blancs battus au mélange à
base de carottes et répartissez ensuite le tout
dans quatre ramequins beurrés. Enfournez
pour 20 minutes, jusqu'à ce que les soufflés
soient dorés et bien levés. Servez
immédiatement.

Poireaux au jambon et au fromage

Pour ce plat unique, léger mais goûteux, choisissez plutôt un fromage bien corsé.

INGRÉDIENTS

Pour 4 personnes

4 poireaux
4 tranches de jambon

Pour la sauce :
25 g de beurre
1 cuillerée à soupe de farine
300 ml de lait
1/2 cuillerée à café de moutarde
115 g de fromage à pâte dure, râpé
Sel et poivre noir fraîchement moulu

1

Préchauffez le four à 190°. Triez les
poireaux, coupez les racines et lavez-les.
Faites-les cuire 20 minutes dans de l'eau
bouillante salée. Égouttez-les bien.
Enveloppez chaque poireau dans une tranche
de jambon.

2

Faites une béchamel : mettre à fondre le
beurre à feu doux dans une casserole, ajoutez
la farine et laissez cuire quelques minutes.
Retirez du feu, ajoutez le lait peu à peu en
fouettant bien. Remettez sur le feu et
fouettez la sauce jusqu'à ce qu'elle épaississe.
Ajoutez la moutarde et 75 g de fromage.
Mélangez et assaisonnez. Mettez les poireaux
dans un plat à gratin et nappez-les de sauce.
Parsemez dessus le reste de fromage et faites
gratiner à four moyen pendant 20 minutes.

Œufs à la crème et aux fines herbes

Servez ce plat riche, très vite prêt et facile à préparer, avec du pain grillé ou des biscottes bien
croustillantes qui feront ressortir le velouté fondant des œufs.

INGRÉDIENTS

Pour 2 personnes

15 g de beurre ramolli
4 cuillerées à soupe de crème fraîche
épaisse
1 cuillerée à soupe de fines herbes hachées
4 œufs
50 g de gruyère râpé
Sel et poivre noir fraîchement moulu

1

Préchauffez le four à 180°. Beurrez deux
plats à gratins individuels. Mélangez la
crème et les fines herbes, salez et poivrez.

2

Cassez deux œufs dans chaque plat et
nappez-les de crème. Parsemez le dessus de
fromage râpé et faites cuire au four 15 à
20 minutes. Une fois les œufs cuits,
faites-les dorer au grill une minute.

Gâteau au citron

Dans cette recette, vous pouvez remplacer les citrons par une grosse orange sans perdre le goût acidulé de l'agrume.

INGRÉDIENTS

pour 6 personnes

Zeste de 2 citrons
175 g de sucre en poudre
225 g de beurre ramolli
4 œufs
225 g de farine à pâtisserie
1 cuillerée à café de levure chimique
1/4 cuillerée à café de sel
Zeste d'un citron pour décorer

Pour le sirop
Jus d'un citron
150 g de sucre en poudre

1

Préchauffez le four à 160°. Beurrez un moule à cake (ou un moule à manqué de 18-20 cm de diamètre), et tapissez-le avec du papier sulfurisé. Mélangez le zeste de citron et le sucre.

2

Réduisez le beurre en crème avec le citron et le sucre. Ajoutez les œufs et mélangez bien jusqu'à obtention d'une pâte lisse et onctueuse. Tamisez la farine et la levure et versez-les dans un saladier. Ajoutez le sel. Incorporez la farine au reste du mélange en trois fois. Versez la pâte dans le moule, lissez le dessus et faites cuire au four une heure et demie, jusqu'à ce que le gâteau soit bien doré et bombé.

3

Pour le sirop, faites chauffer le jus de citron avec le sucre et laissez dissoudre doucement. Faites plusieurs entailles sur le gâteau et versez le sirop dessus. Saupoudrez le tout de zeste de citron et ajoutez une cuillerée à soupe de sucre cristallisé. Laissez refroidir.

Pain complet

L'odeur du pain qui cuit est l'une des plus merveilleuses et des plus évocatrices de la cuisine de la campagne. Mangez celui-ci le jour de sa cuisson et vous apprécierez son goût incomparable lorsqu'il est frais.

INGRÉDIENTS

Pour 4 miches ou 2 pains longs

20 g de levure de boulanger
300 ml de lait tiède
1 cuillerée à soupe de sucre en poudre
225 g de farine complète tamisée
225 g de farine blanche tamisée
1 cuillerée à café de sel
50 g de beurre salé
1 œuf légèrement battu
2 cuillerées à soupe de graines mélangées,
tournesol ou potiron par exemple

1

Faites dissoudre doucement la levure dans un peu de lait et de sucre jusqu'à obtention d'une pâte. Versez dans un grand saladier préchauffé le sel, les deux types de farine et le son qui est resté dans le tamis. Incorporez le beurre à la main jusqu'à ce que le mélange s'émiette.

2

Ajoutez la levure, le reste de lait et l'œuf, mélangez jusqu'à obtention d'une pâte assez souple. Pétrissez-la sur une planche farinée pendant un quart d'heure. Beurrez légèrement le saladier et remettez dedans la pâte. Couvrez-la avec un morceau de film plastique étirable huilé. Laissez-la reposer dans un endroit assez chaud jusqu'à ce qu'elle ait doublé de volume (soit au moins une heure).

3

Prenez la pâte et pétrissez-la à nouveau pendant une dizaine de minutes. Préchauffez le four à 200°. Pour faire des miches rondes, divisez la pâte en quatre portions et aplatissez-les un peu. Mettez-les sur une plaque beurrée et farinée et laissez-les lever un quart d'heure supplémentaire. Saupoudrez les miches de graines et enfournez-les pour 20 minutes, jusqu'à ce qu'elles soient fermes et bien dorées.

REMARQUE

Si vous voulez faire des pains longs moulés, versez la pâte dans deux grands moules à cake beurrés et farinés après l'avoir pétrie de nouveau. Laissez-la lever 45 minutes, puis faites cuire 45 minutes, jusqu'à ce que les pains sonnent creux lorsqu'on les démoule et qu'on tapote le fond.

Tresse pascale

Servez cette délicieuse tresse avec du beurre et de la confiture.
Le lendemain, faites-la griller : un vrai délice !

INGRÉDIENTS

Pour 8 personnes

20 g de levure de boulanger
75 g de sucre en poudre
200 ml de lait
2 œufs légèrement battus
450 g de farine
1/2 cuillerée à café de sel
2 cuillerées à café de mélange
d'épices en poudre

75 g de beurre
175 g de raisins de Corinthe
25 g d'écorces d'agrumes confites,
hachées
Un peu de lait sucré pour le
glaçage
25 g de cerises confites, hachées
15 g d'angélique, hachée

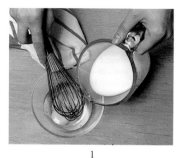

1

Mélangez la levure avec le sucre. Faites tiédir
le lait, ajoutez-en les deux tiers aux œufs
et mélangez le tout avec la levure.

2

Tamisez la farine, ajoutez le sel et les épices.
Incorporez le beurre. Disposez le mélange
en puits et versez le mélange à base de lait en
son centre. Ajoutez du lait si besoin est,
jusqu'à obtention d'une pâte collante.

3

Pétrissez la pâte sur une surface bien farinée,
puis incorporez les raisins de Corinthe et les
écorces confites. Versez la pâte dans un
saladier légèrement graissé et couvrez-la avec
un torchon humide. Laissez reposer jusqu'à
ce que la pâte ait doublé de volume.
Préchauffez le four à 220°.

4

Retournez la pâte sur une surface farinée
et pétrissez-la à nouveau pendant 2 à
3 minutes. Divisez-la en trois morceaux
égaux. Roulez chaque morceau de façon à
obtenir un boudin de 20 cm de long. Tressez
les trois morceaux, en repliant et en pinçant
fermement les extrémités. Mettez sur une
plaque à pâtisserie farinée et laissez lever
un quart d'heure.

5

Passez un pinceau trempé dans du lait sucré
sur la tresse, puis parsemez-la de cerises
confites et d'angélique. Faites cuire au four
pendant 45 minutes environ, jusqu'à
ce qu'elle sonne creux lorsqu'on tapote
le dessous. Laissez refroidir légèrement
sur une grille.

Gelée à la fleur d'oranger

Une gelée fraîche à l'orange, voilà une idée de dessert originale qui vous réconciliera avec ce dessert anglais si souvent critiqué : le parfum naturel du fruit, associé au velouté de la gelée, a un effet régénérant qui est souvent le bienvenu après un bon repas. Nous vous conseillons en outre de servir cet entremets avec des langues de chat bien croustillantes, gage d'un délicieux contraste.

INGRÉDIENTS

Pour 4 à 6 personnes

65 g de sucre en poudre
150 ml d'eau
2 sachets de gélatine (25 g environ)
600 ml de jus d'orange fraîchement pressé
30 ml d'eau de fleurs d'oranger

1

Mettez le sucre et l'eau dans une petite casserole, chauffez doucement jusqu'à ce que le sucre soit dissout. Laissez refroidir.

2

Versez la gélatine en pluie en veillant à ce que cette dernière soit bien immergée. Laissez reposer jusqu'à ce que la gélatine ait absorbé tout le liquide et se soit solidifiée.

3

Faites fondre la gélatine doucement au bain Marie jusqu'à ce qu'elle soit transparente. Laissez refroidir. Lorsque la gélatine est froide, mélangez-la avec le jus d'orange et l'eau de fleurs d'oranger.

4

Mouillez un moule à gelée et versez la gelée dedans. Réfrigérez pendant au moins deux heures, jusqu'à ce que la gelée ait bien pris. Démoulez et servez.

Crumble à la rhubarbe et à l'orange

Ce sont les amandes qui donnent à ce « crumble » son goût unique et sa consistance croquante. Servez-le avec une bonne crème anglaise maison et vous convertirez plus d'un convive à cette nouvelle passion.

INGRÉDIENTS

Pour 6 personnes

900 g de rhubarbe coupée en
morceaux de 5 cm de long
75 g de sucre en poudre
Zeste et jus de 2 oranges

115 g de farine
115 g de beurre très froid coupé en cubes
75 g de cassonade
115 g de poudre d'amandes

___
1
___

Préchauffez le four à 180°. Mettez les
morceaux de rhubarbe dans un plat à gratin.

___
2
___

Saupoudrez la rhubarbe de sucre, puis
ajoutez le jus et le zeste des oranges.

___
3
___

Tamisez la farine, versez-la dans un saladier
et ajoutez le beurre. Incorporez-le à la farine
avec les doigts jusqu'à ce que l'ensemble ait
l'air de s'émietter.

___
4
___

Ajoutez la cassonade et la poudre d'amande
et mélangez bien.

___
5
___

Versez le mélange farine-cassonade-poudre
d'amande sur les fruits en le répartissant
uniformément à la cuillère. Enfournez pour
40 minutes, jusqu'à ce que le dessus
soit doré et les fruits cuits. Servez tiède,
avec de la crème anglaise.

Recettes estivales

Les chaudes journées paresseuses et les longues soirées
d'été fournissent la parfaite excuse pour dîner dehors
en famille ou entre amis. Essayez la quiche
méditerranéenne ou la superbe salade aux fleurs
de capucine, ou rafraîchissez-vous avec l'entremets
aux fraises ou la glace maison à la menthe, et profitez
de la douceur de vivre.

Maquereaux aux myrtilles

Quelle judicieuse association ! En effet, les myrtilles fraîches rôties regorgent de parfum, et leur légère acidité complète à merveille la chair riche du maquereau.

INGRÉDIENTS

Pour 4 personnes

15 g de farine
4 petits maquereaux, lavés, vidés
et coupés en filets
50 g de beurre
Jus d'un demi-citron
Sel et poivre noir fraîchement moulu

Pour les myrtilles rôties
450 g de myrtilles
25 g de sucre en poudre
15 g de beurre
Sel et poivre noir fraîchement moulu

1

Préchauffez le four à 200°. Salez et poivrez
la farine, puis trempez dedans chaque filet
de maquereau pour bien l'enrober.

2

Coupez le beurre en petits morceaux
et répartissez-le sur les filets. Faites cuire
le poisson au four pendant 20 minutes.

3

Mettez dans un autre plat à four les
myrtilles, le sucre et le beurre. Salez et
poivrez les myrtilles et faites-les rôtir
pendant 15 minutes, en les arrosant
de temps en temps de leur jus. Citronnez
les filets de poisson et servez-les
avec les myrtilles rôties.

Truites au bacon

Vous pouvez choisir de faire frire les truites, ou bien de les faire griller au barbecue.

INGRÉDIENTS

Pour 4 personnes

*25 g de farine
4 truites, lavées et vidées
75 g de bacon entrelardé
50 g de beurre
1 cuillerée à soupe d'huile d'olive
Jus d'un demi-citron
Sel et poivre noir fraîchement moulu*

1

Tamponnez les truites avec du papier absorbant pour bien les sécher. Mélangez la farine, le sel et le poivre.

2

Roulez les truites dans la farine salée et poivrée et enveloppez-les de bacon. Faites chauffer une grande poêle à frire à fond épais. Chauffez l'huile et le beurre et faites frire les truites 5 minutes de chaque côté. Servez-les immédiatement, arrosées de jus de citron.

Quiche méditerranéenne

C'est toutes les saveurs de la Méditerranée que nous rappelle cette quiche, avec ses tomates, ses poivrons et ses anchois que complète à merveille une pâte brisée fromagée.

INGRÉDIENTS

Pour 12 personnes

Pour la pâte
225 g de farine
une pincée de sel
une pincée de moutarde en poudre
115 g de beurre très froid et coupé en cubes
50 g de gruyère râpé

Pour la garniture
50 g d'anchois à l'huile, égouttés
50 ml de lait
2 cuillerées à soupe de moutarde
3 cuillerées à soupe d'huile d'olive
2 gros oignons d'Espagne, émincés
1 poivron rouge, égrené et coupé
en très fines lamelles
3 jaunes d'œufs
350 ml de crème fraîche épaisse
1 gousse d'ail pressée
175 g de fromage à pâte dure au goût
prononcé, style cheddar vieilli, râpé
2 grosses tomates coupées
en tranches épaisses
Sel et poivre noir fraîchement moulu
2 cuillerées à soupe de basilic frais haché,
pour la garniture

1

Commencez par faire la pâte. Mettez la farine, le sel et la moutarde en poudre dans un robot ménager, ajoutez le beurre et mélangez le tout jusqu'à ce que la pâte semble s'émietter.

2

Ajoutez le fromage et mélangez brièvement. Ajoutez de l'eau glacée pour obtenir une pâte qui ne colle pas. Lorsqu'elle forme une boule, enveloppez-la dans un film plastique et réfrigérez-la pendant une demi-heure.

3

Pendant ce temps, préparez la garniture. Faites tremper les anchois dans le lait pendant 20 minutes, puis égouttez-les.

4

Étendez la pâte au rouleau et garnissez-en un moule à tarte à fond amovible de 23 cm de diamètre environ. Badigeonnez le fond de moutarde et remettez au réfrigérateur pour un quart d'heure supplémentaire.

5

Préchauffez le four à 200°. Chauffez l'huile dans une poêle et faites dorer les oignons et le poivron rouge. Dans un autre saladier, battez les jaunes d'œufs, la crème, l'ail et le cheddar, salez et poivrez. Disposez les rondelles de tomates sur le fond de pâte en une seule couche, nappez-les avec le mélange oignons-poivron et les filets d'anchois. Versez par-dessus le mélange à base d'œufs. Faites cuire au four 30 à 35 minutes, saupoudrez de basilic haché et servez.

Salade de pommes de terre nouvelles

Rien ne vaut les pommes de terre nouvelles, surtout si elles proviennent de votre propre jardin. Ne les épluchez pas, mais lavez-les. Ajoutez la mayonnaise et les autres ingrédients lorsqu'elles sont encore chaudes : leurs parfums se développeront au fur et à mesure que les pommes de terre refroidiront.

INGRÉDIENTS

Pour 6 personnes

*900 g de petites pommes de terre nouvelles
2 pommes vertes, vidées et hachées
4 oignons nouveaux finement hachés
3 branches de céleri finement hachées
150 ml de mayonnaise
Sel et poivre noir fraîchement moulu*

1

Faites cuire les pommes de terre à l'eau bouillante salée pendant une vingtaine de minutes, ou jusqu'à ce qu'elles soient bien tendres.

2

Égouttez-les bien et ajoutez immédiatement les autres ingrédients. Mélangez bien. Laissez refroidir et servez froid.

Salade de haricots verts

Là encore, le secret de cette salade consiste à assaisonner les haricots pendant qu'ils sont encore chauds.

INGRÉDIENTS

Pour 6 personnes

*175 g de tomates cerises coupées en deux
1 cuillerée à soupe de sucre
450 g de haricots verts, équeutés
175 g de feta coupée en cubes
Sel et poivre noir fraîchement moulu*

*Pour l'assaisonnement
6 cuillerées à soupe d'huile d'olive
3 cuillerées à soupe de vinaigre de vin blanc
1/4 cuillerée à café de moutarde de Dijon
2 gousses d'ail pressées
Sel et poivre noir fraîchement moulu*

1

Préchauffez le four à 230°. Mettez les tomates cerises sur une plaque à pâtisserie, saupoudrez-les de sucre, de sel et de poivre. Faites-les rôtir 20 minutes, puis refroidir. Mettez à cuire les haricots verts dans de l'eau bouillante salée pendant 10 minutes.

2

Préparez l'assaisonnement en mélangeant l'huile, le vinaigre, la moutarde, l'ail, le sel et le poivre. Égouttez les haricots et mélangez-les immédiatement à la vinaigrette. Une fois refroidis, ajoutez les tomates grillées et la feta. Servez très frais.

Pâtissons à la grecque

Ce plat méditerranéen traditionnel se prépare généralement avec des champignons.
Veillez à faire suffisamment cuire les petits pâtissons, pour qu'ils soient bien tendres
et qu'ils absorbent bien les délicieux parfums de la marinade.

INGRÉDIENTS

Pour 4 personnes

175 g de pâtissons
250 ml de vin blanc
Jus de 2 citrons
1 brin de thym frais
1 feuille de laurier
1 petit bouquet de cerfeuil frais,
grossièrement haché
1/4 cuillerée à café de graines de
coriandre pilées
1/4 cuillerée à café de grains
de poivre noir pilés
5 cuillerées à soupe d'huile d'olive

1

Faites blanchir les pâtissons à l'eau
bouillante pendant 3 minutes, puis passez-
les sous l'eau froide.

2

Mélangez tous les autres ingrédients dans
une casserole, ajoutez 150 ml d'eau et faites
chauffer. Couvrez et laissez frémir pendant
10 minutes. Ajoutez les pâtissons et
poursuivez la cuisson 10 minutes. Sortez-les
du liquide lorsqu'ils sont cuits, c'est-à-dire
tendres sous la dent.

3

Faites réduire le liquide en portant à
ébullition et en laissant cuire à gros
bouillons pendant 10 minutes. Passez cette
sauce au tamis et versez-la sur les pâtissons.
Laissez refroidir pour que les légumes
absorbent bien les parfums. Servez frais.

Salade du jardin

Vous pouvez agrémenter cette salade originale de n'importe quelles fleurs fraîches, si tant est qu'elles soient comestibles.

INGRÉDIENTS

Pour 4 personnes

1 romaine
175 g de roquette
1 petite frisée
Quelques brins de cerfeuil et d'estragon frais
1 cuillerée à soupe de fines herbes hachées
Une poignée de fleurs fraîches comestibles
(capucines ou soucis par exemple)

Pour la vinaigrette
3 cuillerées à soupe d'huile d'olive
1 cuillerée à soupe de vinaigre de vin blanc
1/2 cuillerée à café de moutarde
1 gousse d'ail pressée
1 pincée de sel

1

Mélangez la romaine, la roquette, la frisée et les aromates.

2

Préparez la vinaigrette en fouettant tous les ingrédients dans un grand saladier. Ajoutez les feuilles de salade, mélangez bien, ajoutez les fleurs et servez immédiatement.

Entremets aux fraises

Préparez ce délicieux entremets le jour où vous voulez le manger et réfrigérez-le bien pour retrouver au plus près le goût des fraises.

INGRÉDIENTS

Pour 4 personnes
300 ml de lait
2 jaunes d'œufs
90 g de sucre en poudre
Quelques gouttes d'essence de vanille
900 g de fraises bien mûres
Jus d'un demi citron
300 ml de crème fraîche épaisse

Pour décorer
12 petites fraises
4 brins de menthe fraîche

1

Commencez par préparer la crème anglaise. Fouettez 30 ml de lait avec les jaunes d'œufs, 1 cuillerée à soupe de sucre en poudre et l'essence de vanille.

2

Faites chauffer le reste de lait pratiquement jusqu'à ébullition.

3

Versez le lait chaud sur le mélange à base d'œufs et mélangez bien. Rincez la casserole et remettez la crème.

4

Chauffez doucement en remuant jusqu'à ce que la crème épaississe assez pour enrober le dos d'une spatule en bois. Posez un morceau de papier sulfurisé mouillé sur la casserole et laissez refroidir la crème.

5

Réduisez les fraises en purée à l'aide d'un robot ménager, ajoutez le jus de citron et le reste de sucre.

6

Fouettez légèrement la crème fraîche et incorporez la crème anglaise et la purée de fraises. Versez la préparation dans des coupes en verre et décorez avec les fraises entières et les brins de menthe.

Glace à la menthe

C'est légèrement crémeuse que cette glace est la meilleure, alors sortez-la du congélateur une vingtaine de minutes avant de la servir. Pour une occasion spéciale, n'hésitez pas à la présenter dans un compotier en glace et en pétales de fleurs : l'effet de surprise est garanti !

INGRÉDIENTS

Pour 8 personnes

*8 jaunes d'œufs
75 g de sucre en poudre
600 ml de crème fraîche liquide
1 gousse de vanille
4 cuillerées à soupe de menthe
fraîche hachée*

1

Battez les jaunes d'œufs et le sucre jusqu'à obtention d'un mélange pâle et mousseux, soit avec un batteur électrique, soit avec un fouet. Versez ensuite le tout dans une casserole.

2

Dans une autre casserole, portez la crème à ébullition avec la gousse de vanille.

3

Retirez la gousse de vanille et versez la crème chaude sur le mélange à base d'œufs, en fouettant vivement.

4

Continuez à fouetter un moment pour bien mélanger les œufs à la crème.

5

Faites chauffer le tout doucement jusqu'à ce que la crème anglaise épaississe assez pour enrober le dos d'une spatule en bois. Laissez refroidir.

6

Ajoutez la menthe et versez le tout dans une sorbetière que vous faites tourner 3 à 4 heures. Si vous n'en avez pas, mettez la glace au congélateur jusqu'à ce qu'elle commence à prendre, puis fouettez-la à nouveau pour casser les cristaux de glace. Remettez-la au congélateur pendant 3 heures, puis fouettez-la à nouveau. Remettez-la une dernière fois au congélateur, et laissez-la au moins 6 heures.

Tarte aux fruits rouges

Cette délicieuse tarte aux fruits de saison est d'autant plus succulente que sa pâte est parfumée à l'orange. Parsemez-la d'un peu de zeste d'orange avant de la servir pour renforcer le goût d'agrumes.

INGRÉDIENTS

Pour 8 personnes

225 g de farine
115 g de beurre
Zeste d'une orange, et un peu plus pour décorer

Pour la garniture
300 ml de crème fraîche
Zeste d'un citron
2 cuillerées à soupe de sucre glace
Fruits rouges

1
Faites d'abord la pâte : mettez dans un grand saladier la farine et le beurre. Incorporez le beurre à la farine avec les doigts jusqu'à ce que la pâte s'émiette.

2
Ajoutez le zeste d'orange et assez d'eau froide pour obtenir une pâte lisse et homogène.

3
Formez une boule avec la pâte et mettez-la au réfrigérateur pendant au moins une demi-heure. Étalez ensuite la pâte au rouleau sur une surface légèrement farinée.

4
Garnissez-en un moule à tarte de 23 cm de diamètre à fond amovible. Mettez-le au réfrigérateur une demi-heure. Préchauffez le four à 200° et faites chauffer une plaque à pâtisserie. Couvrez la pâte d'un morceau de papier sulfurisé sur lequel vous mettez quelques noyaux de fruits et faites cuire la pâte seule sur la plaque un quart d'heure. Retirez le papier sulfurisé et les noyaux et poursuivez la cuisson 10 minutes, jusqu'à ce que la pâte soit dorée. Laissez refroidir.
Préparez la garniture : fouettez la crème fraîche, le zeste de citron et le sucre et versez le tout sur la pâte. Couvrez de fruits rouges, saupoudrez de zeste d'orange et servez.

Recettes automnales

....

Profitez de ces quelques recettes pour apprécier les trésors
de l'automne : la tourte aux champignons des bois,
les oignons rôtis au thym, le canard aux marrons,
autant de façons de goûter aux saveurs de la saison.
Sans oublier ces bons desserts qui mettent du baume
au cœur et aux joues, comme le pudding au gingembre
ou les poires au vin. A vos fourneaux !

Tourte aux champignons des bois

*Mettez dans cette tourte la plus grande variété de champignons possible,
elle n'en sera que meilleure.*

INGRÉDIENTS

Pour 6 personnes

Pour la pâte
225 g de farine
50 g de saindoux
2 cuillerées à soupe de jus de citron
150 ml d'eau fraîche
115 g de beurre froid et coupé en cubes
1 œuf battu, pour dorer

Pour la garniture
150 g de beurre
2 échalotes finement hachées
2 gousses d'ail pressées
450 g de champignons des bois émincés
3 cuillerées à soupe de persil frais haché
*2 cuillerées à soupe de crème fraîche
épaisse*
Sel et poivre noir fraîchement moulu

<u>1</u>

Pour faire la pâte, tamisez la farine et
mettez-la avec 1/2 cuillerée à café de sel dans
un grand saladier. Ajoutez le saindoux et
incorporez-le à la farine avec les doigts.

<u>2</u>

Ajoutez le jus de citron et assez d'eau glacée
pour obtenir une pâte souple mais pas
collante. Couvrez et réfrigérez pendant
20 minutes.

<u>3</u>

Étalez la pâte au rouleau sur une surface
légèrement farinée de façon à obtenir un
rectangle. Marquez la pâte en trois parts
égales et répartissez la moitié des cubes de
beurre sur les deux premiers tiers.

<u>5</u>

Réfrigérez la pâte 20 minutes. Marquez-la en
trois parts égales, repliez, faites pivoter d'un
quart de tour, étalez au rouleau puis mettez
au réfrigérateur 20 minutes. Renouvelez trois
fois l'opération. Pour la garniture, faites
fondre 50 g de beurre et revenir l'ail et les
échalotes jusqu'à ramollissement, mais sans
dorer. Ajoutez le reste de beurre et les
champignons et faites cuire le tout 35 à
40 minutes. Égouttez les champignons et
ajoutez les derniers ingrédients. Laissez
refroidir. Préchauffez le four à 220°.

<u>4</u>

Repliez le premier tiers sur le second, puis le
troisième (non beurré) sur le tout. Soudez les
bords au rouleau. Faites pivoter la pâte d'un
quart de tour et étalez-la de nouveau.
Marquez-la encore en trois parties égales, et
répétez l'opération avec le reste de beurre.

<u>6</u>

Divisez la pâte en deux. Étalez une moitié de
façon à obtenir un disque de 22 cm. Versez la
garniture au centre. Étalez le reste de pâte et
recouvrez-en la base, après en avoir mouillé
les bords au pinceau. Fermez la tourte en
appuyant sur les bords, puis passez un peu
d'œuf battu au pinceau sur le dessus pour
que la pâte dore en cuisant. Enfournez pour
45 minutes, jusqu'à ce que la pâte ait levé
et soit bien dorée et feuilletée.

Velouté aux champignons et au persil

*Épaissie avec du pain, cette soupe aux champignons vous réchauffera sans problème
par les fraîches soirées d'automne.*

INGRÉDIENTS

Pour 8 personnes

*75 g de beurre
900 g de champignons émincés
2 oignons grossièrement hachés
600 ml de lait
8 tranches de pain de mie
4 cuillerées à soupe de persil frais haché
300 ml de crème fraîche épaisse
Sel et poivre noir fraîchement moulu*

1

Faites fondre le beurre puis sauter les
champignons et les oignons une dizaine de
minutes, c'est-à-dire jusqu'à ce qu'ils soient
ramollis mais pas dorés. Ajoutez le lait.

2

Déchirez le pain en morceaux et laissez-le
tremper un quart d'heure. Réduisez la soupe
en purée et reversez-la dans la cocotte.
Ajoutez le persil, la crème, salez et poivrez.
Remettez sur le feu sans laisser bouillir.
Servez aussitôt.

Oignons rôtis au thym

*Ces oignons cuits très lentement au four prennent une délicieuse saveur sucrée qui accompagne à merveille
une viande rôtie. Vous pouvez préparer de la même façon des pommes de terre nouvelles précuites.*

INGRÉDIENTS

Pour 4 personnes

*5 cuillerées à soupe d'huile d'olive
50 g de beurre
900 g de petits oignons
2 cuillerées à soupe de thym frais haché
Sel et poivre noir fraîchement moulu*

1

Préchauffez le four à 220°. Faites chauffer
l'huile et le beurre dans un grand plat à four.
Ajoutez les oignons et imprégnez-les bien du
mélange huile-beurre.

2

Ajoutez le thym, salez, poivrez et faites rôtir
45 minutes, en les arrosant régulièrement
de leur jus.

Canard aux marrons

Servez ce plat avec un mélange de purée de pommes de terre et de céleri-rave,
pour absorber le gras du canard.

INGRÉDIENTS

Pour 4 à 6 personnes

1 canard de 1.750 kg
3 cuillerées à soupe d'huile d'olive
175 g de petits oignons
115 g de champignons frais émincés
300 ml de vin rouge
300 ml de bouillon de bœuf
225 g de marrons en boîte non sucrés,
pelés et égouttés
Sel et poivre noir fraîchement moulu

1

Découpez le canard en huit. Faites chauffer l'huile dans une grande poêle à frire et faites revenir le canard. Retirez les morceaux de la poêle.

2

Ajoutez-y les oignons et faites-les dorer une dizaine de minutes.

3

Ajoutez les champignons et laissez cuire quelques minutes de plus. Déglacez la poêle avec le vin rouge et portez le tout à ébullition pour le faire réduire de moitié. Pendant ce temps, préchauffez le four à 180°.

4

Versez le vin et le bouillon dans une cocotte. Ajoutez le canard et les marrons, salez, poivrez et faites cuire au four pendant une heure et demie.

« Scones » au fromage

Voici une version salée des célèbres « scones », qui rappelle un peu nos gougères.
Servez-les à peine sortis du four, ils n'en seront que meilleurs.

INGRÉDIENTS

Pour 12 scones

225 g de farine
2,5 cuillerées à café de levure chimique
1/2 cuillerée à café de graines de
moutarde pilées
1/2 cuillerée à café de sel
50 g de beurre salé coupé en cubes
75 g de cheddar râpé
150 ml de lait
1 œuf battu

1

Préchauffez le four à 230°. Tamisez la farine
et mélangez-la avec la levure, le sel et la
moutarde dans un grand saladier. Incorporez
le beurre avec les doigts jusqu'à ce que le
mélange s'émiette. Ajoutez 50 g de fromage.

2

Disposez la farine en puits et versez le lait et
l'œuf battu. Mélangez doucement puis
retournez la pâte sur un plan de travail
légèrement fariné. Étalez-la au rouleau et
découpez-la en triangles ou en carrés. Passez
un pinceau trempé dans du lait sur le dessus
et saupoudrez avec le fromage restant.
Laissez reposer un quart d'heure puis
enfournez pour 15 minutes.

Galettes aux flocons d'avoine

Ces galettes très faciles à préparer accompagnent très bien les fromages à pâte dure.

INGRÉDIENTS

Pour 24 galettes
225 g de flocons d'avoine
75 g de farine
1/4 cuillerée à café de bicarbonate de
soude
1 cuillerée à café de sel
25 g de margarine
25 g de beurre

1

Préchauffez le four à 220°. Mettez les flocons
d'avoine, la farine, le bicarbonate de soude et
le sel dans un grand saladier. Faites fondre
les matières grasses dans une casserole.

2

Ajoutez le beurre et la margarine fondus aux
ingrédients secs, et de l'eau bouillante pour
obtenir une pâte souple. Retournez la pâte
sur une surface couverte de flocons d'avoine.
Étalez-la au rouleau et découpez des petits
disques fins. Faites cuire à four chaud sur
une plaque pendant 15 minutes.

Pudding aux pommes et aux mûres

Un dessert typiquement anglais, idéal pour les journées fraîches, à servir avec de la chantilly ou une bonne crème anglaise maison.

INGRÉDIENTS

Pour 4 personnes

65 g de beurre
175 g de pain de mie
50 g de sucre roux
60 ml de mélasse
Zeste et jus de 2 citrons
50 g de cerneaux de noix
450 g de mûres
450 g de pommes à cuire, pelées, vidées et coupées en tranches fines

1

Préchauffez le four à 180°. Beurrez un plat à gratin avec 15 g de beurre. Faites fondre le beurre restant et ajoutez le pain émietté. Faites-le revenir 5 à 7 minutes, jusqu'à ce que les miettes soient dorées et un peu croustillantes. Laissez-les refroidir légèrement.

2

Mettez le sucre, le jus et le zeste de citron ainsi que la mélasse dans une petite casserole et faites-les chauffer doucement. Ajoutez les miettes de pain dorées.

5

Ajoutez ensuite une fine couche de pomme, puis une autre couche de pain, à nouveau une couche de mûres suivie par une couche de pain. Continuez ainsi jusqu'à ce que vous ayez épuisé les ingrédients, en terminant par une couche de miettes de pain. Le dessert réduisant de volume en cuisant, ne soyez pas étonné s'il dépasse du plat avant de l'enfourner. Faites cuire à four moyen pendant une demi-heure, jusqu'à ce que les miettes soient bien dorées et les fruits tendres.

3

Hachez les noix finement.

4

Garnissez de mûres le fond du plat. Nappez-les avec le mélange préparé.

Poires au vin

Servez ce dessert chaud avec de la crème et des sablés.

Pour 4 personnes

6 poires de taille moyenne
350 g de sucre en poudre
75 ml de miel liquide
1 gousse de vanille
600 ml de vin rouge
1 cuillerée à café de clous de girofle
1 bâton de cannelle de 7 cm environ

1

Pelez les poires mais laissez-les entières,
avec leurs queues.

2

Mettez le sucre, le miel, la gousse de vanille,
le vin, les clous de girofle et le bâton
de cannelle dans une grande casserole.

3

Ajoutez les poires et faites-les pocher une
demi-heure. Lorsqu'elles sont tendres,
retirez-les de la casserole avec une spatule
ajourée et gardez-les au chaud. Retirez aussi
la gousse de vanille, les clous de girofle et le
bâton de cannelle, puis portez le liquide à
ébullition pour qu'il réduise de moitié.
Servez les poires nappées de sirop au vin.

Pudding au gingembre et à la cannelle

Ce pudding traditionnel d'outre-Manche, cuit à la vapeur, est délicieux servi avec de la crème anglaise

INGRÉDIENTS

Pour 4 personnes

120 g de beurre ramolli
3 cuillerées à soupe de mélasse
115 g de sucre en poudre
2 œufs, légèrement battus
115 g de farine
1 cuillerée à café de levure chimique
1 cuillerée à café de cannelle en poudre
1 morceau de gingembre de 25 g environ,
finement haché
2 cuillerées à soupe de lait

1

Portez une pleine casserole d'eau à ébullition. Graissez légèrement un moule à soufflé d'une contenance de 600 ml avec 15 g de beurre. Versez la mélasse dans le moule.

2

Réduisez le beurre restant et le sucre en crème, battez le tout jusqu'à l'obtention d'un mélange léger et mousseux. Ajoutez les œufs petit à petit. Tamisez la farine, ajoutez-lui la levure et la cannelle et incorporez-les au mélange initial. Ajoutez le gingembre, puis le lait. La consistance doit être souple et assez fluide.

3

Versez la pâte à la cuillère dans le moule et lissez le dessus. Couvrez avec un morceau de papier sulfurisé plissé. Attachez le papier avec une ficelle et faites cuire à la vapeur 1 heure et demie à 2 heures. Veillez à ce que le niveau d'eau reste haut pour qu'il y ait assez de vapeur et que le pudding cuise bien. Démoulez le pudding et servez.

Tarte aux pommes

Quelques amandes mondées grillées sur le dessus complètent à merveille ce grand classique.

INGRÉDIENTS

Pour 8 personnes

Pour la pâte
115 g de beurre ramolli
4 cuillerées à soupe de sucre vanillé
1 œuf
225 g de farine

Pour la garniture
50 g de beurre
5 grosses pommes à tarte, pelées,
vidées et coupées en tranches fines
Jus d'un demi-citron
300 ml de crème fraîche épaisse
2 jaunes d'œufs
2 cuillerées à soupe de sucre vanillé
50 g d'amandes pilées grillées
2 cuillerées à soupe d'amandes mondées
grillées, pour garnir

1

Mettez le beurre et le sucre dans un robot ménager et mixez-les bien. Ajoutez l'œuf et mélangez de nouveau.

2

Ajoutez la farine et mixez jusqu'à obtention d'une pâte souple. Enveloppez-la dans un film plastique étirable et réfrigérez une demi-heure.

3

Étalez la pâte au rouleau sur un plan de travail fariné de façon à obtenir un disque de 22 à 25 cm de diamètre.

4

Garnissez-en un moule à tarte et mettez-le au réfrigérateur une demi-heure supplémentaire. Préchauffez le four à 220° et faites chauffer une plaque à pâtisserie. Mettez un morceau de papier sulfurisé sur la pâte, disposez dessus quelques noyaux ou haricots et faites cuire la pâte une dizaine de minutes. Retirez ensuite les noyaux ou haricots et le papier sulfurisé et faites cuire la pâte 5 minutes de plus.

5

Baissez le four à 190°. Pour la garniture, faites fondre le beurre dans une poêle et faites sauter les pommes délicatement pendant 5 à 7 minutes. Arrosez-les de jus de citron.

6

Battez la crème et les jaunes d'œufs avec le sucre. Ajoutez les amandes en poudre grillées. Disposez les tranches de pommes sur la pâte et nappez-les de crème. Faites cuire au four pendant 25 minutes, jusqu'à ce que la crème soit sur le point de prendre. Servez chaud ou froid, après avoir éparpillé quelques amandes grillées sur le dessus.

Recettes hivernales

Lorsque les jours sont courts et les nuits longues et froides,
nous avons besoin de plats substantiels pour nous
réchauffer l'âme et le corps. Goûtez notre rôti de bœuf aux
poivrons, ou la tourte de campagne à la viande, et
laissez-vous tenter au dessert par les crêpes écossaises ou
les « muffins » aux canneberges. Et si vous essayiez le
fameux Christmas Pudding ?

Rôti de bœuf aux lardons et aux poivrons grillés

Voilà un plat qui réchauffe par une longue soirée d'hiver !

INGRÉDIENTS

Pour 8 personnes

Un rôti de bœuf de 1,5 kg
1 cuillerée à soupe d'huile d'olive
450 g de poivrons rouges
115 g de champignons frais
175 g de pancetta ou petit salé fumé coupé
en dés
50 g de farine
150 ml de vin rouge corsé
300 ml de bouillon de bœuf
2 cuillerées à soupe de marsala
2 cuillerées à soupe d'herbes de Provence
Sel et poivre noir fraîchement moulu

1

Préchauffez le four à 190°. Salez et poivrez la viande. Faites chauffer l'huile dans une grande poêle, puis faites revenir la viande de toutes parts. Mettez-la ensuite dans un grand plat à four et faites-la cuire une heure et quart.

2

Faites griller les poivrons rouges dans le four pendant 20 minutes s'ils sont petits, 45 minutes s'ils sont gros.

3

Lorsque la viande est presque cuite, préparez la sauce. Hachez grossièrement les pieds et les chapeaux des champignons.

4

Remettez la poêle sur le feu et faites revenir la pancetta ou le petit salé. Une fois que le gras s'écoule de la viande, ajoutez la farine et poursuivez la cuisson quelques minutes.

5

Ajoutez petit à petit le vin rouge et le bouillon. Portez à ébullition en remuant. Baissez le feu et ajoutez le marsala et les aromates. Salez et poivrez.

6

Ajoutez les champignons et faites-les chauffer. Retirez le rôti du four et laissez-le reposer 10 minutes avant de le couper. Servez avec les poivrons grillés et la sauce chaude.

Soupe aux lentilles et au petit salé

Servez cette soupe riche avec du bon pain de campagne, et vous nous en direz des nouvelles !

INGRÉDIENTS

Pour 4 personnes

450 g de petit salé ou bacon coupé en cubes
1 oignon grossièrement haché
1 petit navet grossièrement haché
1 branche de céleri hachée
1 carotte coupée en rondelles
1 pomme de terre pelée et grossièrement
hachée
75 g de lentilles
1 bouquet garni
Poivre noir fraîchement moulu

1

Faites chauffer une grande poêle et mettez le petit salé. Faites-le cuire quelques minutes.

2

Ajoutez tous les légumes et faites cuire le tout 4 minutes.

3

Ajoutez les lentilles, le bouquet garni et poivrez. Couvrez avec de l'eau et laissez mijoter une heure, jusqu'à ce que les lentilles soient bien tendres.

Gratin de pommes de terre

Si vous faites précuire les pommes de terre à la casserole avant, le gratin cuira plus vite.

INGRÉDIENTS

Pour 6 personnes

1,5 kg de grosses pommes de terre, pelées et
coupées en tranches
2 gros oignons émincés
75 g de beurre
300 ml de crème fraîche épaisse
Sel et poivre noir fraîchement moulu

1

Préchauffez le four à 200°. Mettez les
pommes de terre, les oignons, le beurre et la
crème dans une grande casserole, mélangez
bien et faites cuire un quart d'heure en
remuant fréquemment.

2

Versez le tout dans un grand plat à gratin,
salez, poivrez et faites cuire au four pendant
une heure, jusqu'à ce que les pommes
de terre soient tendres et le dessus
du plat bien gratiné.

Ragoût de bœuf traditionnel aux boulettes de pâte

Vous pouvez faire cuire ce plat au four pendant que vous partez faire une promenade apéritive.

INGRÉDIENTS

Pour 6 personnes

25 g de farine
1,2 kg de bœuf à braiser coupé en cubes
2 cuillerées à soupe d'huile d'olive
2 gros oignons émincés

450 g de carottes coupées en rondelles
300 ml de Guiness ou autre bière brune
3 feuilles de laurier
2 cuillerées à soupe de sucre roux
3 brins de thym frais
1 cuillerée à soupe de vinaigre de cidre
Sel et poivre noir fraîchement moulu

Pour les boulettes
115 g de saindoux en copeaux
225 g de farine à pâtisserie
2 cuillerées à soupe d'aromates divers hachés
150 ml d'eau environ

1

Préchauffez le four à 160°. Salez et poivrez la farine et enrobez-en la viande.

2

Chauffez l'huile dans une grande cocotte et faites légèrement sauter les oignons et les carottes. Retirez les légumes avec une spatule ajourée et réservez-les.

3

Faites revenir la viande petit à petit dans la cocotte.

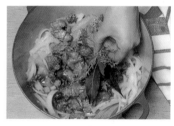

4

Remettez les légumes dans la cocotte et ajoutez le reste de farine. Ajoutez la bière, les feuilles de laurier, le sucre et le thym. Portez à ébullition, puis enfournez la cocotte. Faites cuire la viande 1 h 40 avant de préparer les boulettes.

5

Mélangez le saindoux, la farine et les aromates. Ajoutez suffisamment d'eau pour obtenir une pâte souple et collante.

6

Farinez-vous les mains puis confectionnez des boulettes avec cette pâte. Ajoutez le vinaigre de cidre à la viande et déposez les boulettes avec une cuillère sur le dessus du plat. Poursuivez la cuisson une vingtaine de minutes, jusqu'à ce que les boulettes soient cuites, et servez très chaud.

Tourte de campagne à la viande

Cette tourte classique est longue à préparer, mais le jeu en vaut la chandelle !

INGRÉDIENTS

Pour 12 personnes

1 petit canard
1 petit poulet
350 g de poitrine de porc hachée
1 œuf légèrement battu
2 échalotes hachées finement
1/2 cuillerée à café de cannelle en poudre
1/2 cuillerée à café de muscade râpée
1 cuillerée à café de Worcestershire Sauce
Zeste d'un citron
1 cuillerée à soupe de sel
1/2 cuillerée à café de poivre noir
fraîchement moulu
150 ml de vin rouge
175 g de jambon coupé en dés

Pour la gelée

tous les os et les chutes de viande
1 oignon
2 carottes
2 branches de céleri
1 cuillerée à soupe de vin rouge
1 feuille de laurier
1 clou de girofle
1 sachet de gélatine (15 g environ)
Sel et poivre fraîchement moulu

Pour la pâte

225 g de saindoux
300 ml d'eau bouillante
675 g de farine
1 œuf légèrement battu avec une pincée
de sel

1

Prélevez autant de viande que possible sur le canard et le poulet, retirez la peau, les os et les morceaux de cartilage. Coupez les blancs, les magrets et les filets en dés et réservez-les.

2

Mélangez le reste du canard et du poulet avec le porc haché, l'œuf, les échalotes, les épices, la Worcestershire Sauce, le zeste de citron, le sel et le poivre. Ajoutez le vin rouge et laissez reposer le tout un quart d'heure.

3

Pour faire la gelée, mettez les carcasses de volaille, les carottes, les oignons, le céleri, le vin, la feuille de laurier et les clous de girofle dans une grande casserole et couvrez avec 2,75 litres d'eau. Portez à ébullition en retirant l'écume qui se forme au fur et à mesure, et laissez frémir 2 h 30.

4

Pour la pâte, mettez le saindoux et l'eau dans une casserole et portez à ébullition. Mettez la farine et le sel dans un grand saladier et versez dessus le liquide chaud. Mélangez avec une spatule en bois et lorsque la pâte est assez froide pour pouvoir la toucher sans se brûler, pétrissez-la bien. Laissez-la ensuite reposer dans un endroit assez chaud, couverte d'un torchon, pendant 20 à 30 minutes ou plus. Préchauffez le four à 200°.

5

Beurrez un moule à soufflé de 25 cm. Étalez les deux tiers de la pâte au rouleau et garnissez-en le moule, en laissant déborder un peu de pâte. Versez la moitié de la préparation à base de porc haché, puis recouvrez-la avec les dés de blancs de poulet et de canard mélangés aux dés de jambon. Terminez en versant le reste de préparation à base de porc haché. Mouillez les bords de pâte qui retombent par-dessus le moule. Étalez le reste de pâte au rouleau puis posez ce disque de pâte sur la tourte. Fermez en rabattant les bords. Faites deux trous assez gros sur le dessus de la tourte, et décorez avec des chutes de pâte.

6

Faites cuire la tourte une demi-heure, puis badigeonnez-la au pinceau avec l'œuf battu salé. Baissez le four à 180°, et remettez la tourte au four. Au bout d'une demi-heure, couvrez avec du papier d'aluminium et poursuivez la cuisson une heure de plus.

7

Revenons à la gelée. Passez le bouillon au tamis après deux heures et demie de cuisson. Laissez refroidir, puis retirez la couche de gras solidifié en surface. Mesurez 600 ml de bouillon et réchauffez-le. Juste avant qu'il ne boue, ajoutez la gélatine et fouettez bien pour éviter les grumeaux. Ajoutez le reste de bouillon et laissez refroidir.

8

Une fois la tourte refroidie, placez un entonnoir au-dessus de l'un des trous pratiqués dans la pâte et versez tout le bouillon de gelée possible, jusqu'à ce qu'il ressorte par l'autre trou. Laissez reposer au moins 24 heures avant de servir.

Tarte aux oignons et aux poireaux

*Dans cette recette originale, pâte et garniture ne sont pas deux entités séparées.
Elles ne font qu'une et accompagnent très bien une viande rôtie par exemple.*

INGRÉDIENTS

Pour 4 personnes

*50 g de beurre
350 g de poireaux émincés
3 ou 4 oignons émincés
225 g de farine à gâteaux
115 g de saindoux en copeaux
150 ml d'eau
Sel et poivre noir fraîchement moulu*

1

Préchauffez le four à 200°. Faites fondre le beurre dans une poêle et faites revenir les oignons et les poireaux. Salez et poivrez.

2

Mélangez la farine, le saindoux et l'eau dans un saladier de façon à obtenir une pâte souple mais collante. Ajoutez les poireaux et les oignons. Versez le tout dans un plat à gratin et faites cuire une demi-heure, jusqu'à ce que le dessus soit bien gratiné. Servez en accompagnement d'une viande.

Sablés à l'orange

Ces petits sablés se conservent deux semaines dans un récipient hermétique. Si tant est que vous ne les mangiez pas tous le premier jour !

INGRÉDIENTS

Pour 18 sablés

115 g de beurre ramolli
50 g de sucre en poudre, et un peu plus pour la cuisson
Zeste de deux oranges
175 g de farine

1

Préchauffez le four à 190°. Battez le beurre et le sucre jusqu'à obtention d'une pâte lisse et crémeuse. Ajoutez le zeste d'orange.

2

Ajoutez la farine petit à petit, et incorporez-la de façon à obtenir une boule de pâte. Étalez la pâte au rouleau sur un plan de travail légèrement fariné. Dans une plaque de pâte de 1 cm d'épaisseur, coupez des sablés allongés que vous saupoudrez d'un peu de sucre et piquez avec une fourchette. Faites-les cuire au four une vingtaine de minutes, jusqu'à ce qu'ils dorent.

« Muffins » aux canneberges

Si vous ne trouvez pas de canneberges, ces jolies baies rouges si courantes en Amérique du Nord,
vous pouvez les remplacer par des cassis ou des cerises.

INGRÉDIENTS

Pour 12 muffins

350 g de farine
1 cuillerée à café de levure chimique
Une pincée de sel
115 g de sucre en poudre
2 œufs
150 ml de lait
4 cuillerées à soupe d'huile de maïs
Zeste d'une orange
150 g de canneberges

1

Préchauffez le four à 190°. Garnissez douze
moules à cake individuels de papier
sulfurisé. Mélangez la farine, la levure,
le sel et le sucre en poudre.

2

Battez légèrement les œufs avec le lait et
l'huile. Ajoutez le tout aux ingrédients secs
et mélangez bien de façon à obtenir une pâte
lisse et homogène. Ajoutez le zeste d'orange
et les canneberges. Répartissez le mélange
dans les moules à cake et faites cuire
25 minutes, jusqu'à ce que les muffins soient
bien gonflés et dorés. Laissez refroidir
quelques minutes, et servez tièdes ou froids

Crêpes écossaises

Servez-les encore chaudes avec du beurre et de la confiture.

INGRÉDIENTS

Pour 24 crêpes

225 g de farine à pâtisserie
4 cuillerées à soupe de sucre en poudre
50 g de beurre fondu
1 œuf
300 ml de lait
1 cuillerée à soupe de saindoux

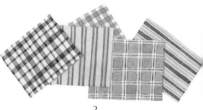

1

Mélangez la farine et le sucre. Ajoutez le
beurre fondu et l'œuf, ainsi que les deux
tiers du lait. Mélangez bien jusqu'à ·
obtention d'une pâte assez liquide
et sans grumeaux.

2

Faites chauffer une poêle à fond épais et
frottez-la avec un morceau de saindoux.
Versez une louche de pâte dans la poêle
chaude. Lorsque des bulles apparaissent à la
surface de la crêpe, retournez-la et laissez
cuire jusqu'à ce qu'elle soit dorée des deux
côtés. Gardez les premières crêpes au chaud
en les enveloppant dans une serviette de
table jusqu'à ce qu'elles soient toutes cuites.

Christmas Pudding

Le dessert de Noël traditionnel des Britanniques. Enveloppez-le dans une mousseline et conservez-le dans un récipient hermétique plusieurs mois, il n'en aura que plus de parfum. Allez, laissez-vous tenter !

INGRÉDIENTS

Pour 8 personnes

115 g de farine
Une pincée de sel
1 cuillerée à café de quatre épices
1/2 cuillerée à café de cannelle en poudre
1/4 cuillerée à café de muscade
fraîchement râpée
225 g de saindoux en copeaux
1 pomme à cuire râpée
225 g de pain de mie émietté
350 g de sucre roux
50 g d'amandes mondées
225 g de raisins secs sans pépins
225 g de raisins de Corinthe
225 g de raisins de Smyrne
115 g d'abricots secs
115 g de peaux d'agrumes confites hachées
Zeste et jus d'un citron
2 cuillerées à soupe de mélasse
3 œufs
300 ml de lait
2 cuillerées à soupe de rhum

1

Tamisez la farine, le sel et les épices et mettez le tout dans un grand saladier.

2

Ajoutez le saindoux, la pomme et les autres ingrédient secs, y compris le zeste de citron.

3

Faites chauffer la mélasse jusqu'à ce qu'elle devienne bien liquide et versez-la sur les ingrédients secs.

4

Battez ensemble les œufs, le lait, le rhum et le jus de citron.

5

Versez le liquide sur les ingrédients secs.

6

Versez le mélange dans une terrine ou un moule à soufflé d'une contenance de 1,2 litre. Couvrez le pudding avec du papier sulfurisé en laissant suffisamment de place pour qu'il puisse gonfler, puis attachez le papier avec une ficelle. Faites cuire le pudding à la vapeur dans un autocuiseur ou dans une casserole d'eau bouillante. Le pudding doit cuire 10 heures, et il convient de le faire réchauffer 3 heures avant de le manger. N'oubliez pas de surveiller le niveau de l'eau. Servez le pudding décoré avec du houx.

Savoureux présents

....

Tirez le meilleur parti possible des produits de saison en préparant des confitures, des gelées et des conserves, ce qui vous permettra d'en profiter toute l'année. Si vous les offrez, vous ferez des heureux ! Parmi les grands classiques citons, bien sûr, la confiture de fraises, mais pensez aussi à des recettes plus originales, comme la gelée de pomme à la menthe ou le « piccalilly ».

Gelée de pomme à la menthe

Cette gelée est délicieuse servie avec des petits pois ou avec une viande rôtie, de l'agneau par exemple.

INGRÉDIENTS

Pour 3 pots de 450 g

*900 g de pommes à cuire
(Bramley, par exemple)
Sucre cristallisé
3 cuillerées à soupe de menthe
fraîche hachée*

1

Hachez grossièrement les pommes et
mettez-les dans une bassine à confiture.

2

Couvrez-les d'eau, et faites-les cuire à petits
bouillons jusqu'à ce que les fruits soient
tendres.

3

Égouttez-les en les mettant dans une chausse
à gelée que vous laissez couler toute la nuit.
Ne pressez pas la chausse, sinon la gelée
ne serait pas transparente.

4

Mesurez la quantité de jus obtenue.
Pour 600 ml de jus, ajoutez 500 g de sucre
cristallisé.

5

Versez le jus sucré dans une grande casserole
et faites chauffer doucement jusqu'à ce que
le sucre se dissolve. Portez ensuite à
ébullition. Vérifiez si le mélange est prêt à
prendre en versant une cuillerée à soupe sur
une soucoupe et en la laissant refroidir
légèrement. Si la surface se ride lorsqu'on la
pousse du bout du doigt, la gelée prendra.
Ce stade atteint, laissez refroidir le mélange.

6

Ajoutez la menthe, mélangez et versez la
gelée dans les pots. Fermez-les de façon
hermétique avec un disque de paraffine et un
carré de cellophane. Conservez les pots dans
un endroit sombre et frais. La gelée se garde
un an. Un pot ouvert doit être consommé vite.

« Lemon and Lime Curd »

Servez cette délicieuse pâte à tartiner aux citrons jaunes et verts avec du pain grillé, pour changer de la confiture et donner un air anglais à votre petit déjeuner.

INGRÉDIENTS

Pour 2 pots de 450 g

115 g de beurre
3 œufs
Zeste et jus
de 2 citrons jaunes

Zeste et jus
de 2 citrons verts
225 g de sucre en poudre

1

Placez un saladier qui résiste à la chaleur au-dessus d'une grande casserole d'eau bouillante. Mettez le beurre.

2

Battez légèrement les œufs et ajoutez-les au beurre.

3

Ajoutez le jus et le zeste des citrons, puis le sucre.

4

Remuez sans cesse le mélange jusqu'à ce qu'il épaississe. Versez-le ensuite dans des pots fermés avec un disque de paraffine et un carré de cellophane. Conservée dans un endroit sombre et frais, cette préparation se garde un mois. En revanche, un pot ouvert doit être consommé dans la semaine.

Prunes aux épices et au cognac

Les fruits conservés dans de l'alcool sont une façon bien agréable de retrouver en hiver les saveurs estivales. Vous pouvez servir ces prunes en dessert avec de la chantilly.

INGRÉDIENTS

Pour 1,1 kg

600 ml de cognac
Pelure d'un citron en un seul morceau
350 g de sucre en poudre
1 bâton de cannelle
900 g de prunes fraîches

1

Mettez le cognac, la pelure de citron, le sucre et le bâton de cannelle dans une grande casserole et faites chauffer le tout doucement pour dissoudre le sucre. Ajoutez les prunes et faites-les pocher un quart d'heure, puis retirez-les avec une spatule ajourée.

2

Faites réduire le sirop d'un tiers en le faisant bouillir rapidement. Mettez-le sur les prunes en le filtrant. Versez les prunes et le sirop dans de grands bocaux stérilisés. Fermez-les hermétiquement. Vous pouvez les conserver six mois dans un endroit sombre et frais.

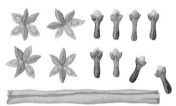

Poires épicées au vinaigre

Encore une préparation originale qui agrémente
à merveille les viandes froides.

INGRÉDIENTS

Pour 900 g

900 g de poires
600 ml de vinaigre de vin blanc
225 g de sucre en poudre
1 bâton de cannelle
5 anis étoilés
10 clous de girofle

1

Pelez les poires, mais gardez-les entières
avec leur queue. Faites chauffer le vinaigre
avec le sucre jusqu'à ce que le sucre fonde.
Ajoutez les poires et faites-les pocher
un quart d'heure.

2

Ajoutez la cannelle, l'anis étoilé et les clous
de girofle et laissez frémir dix minutes.
Retirez les poires et remplissez-en des
bocaux stérilisés. Faites réduire le sirop en
poursuivant la cuisson 15 minutes de plus,
et versez-le sur les poires. Fermez les bocaux
hermétiquement et conservez-les dans un
endroit sombre et frais. Vous pourrez ainsi
les conserver une année. En revanche, un
bocal ouvert doit être réfrigéré et consommé
dans la semaine.

Chutney à la tomate

Cette sauce épicée d'origine indienne est délicieuse avec de la viande froide,
ou même avec du fromage à pâte dure et des crackers.

INGRÉDIENTS

Pour 4 pots de 450 g

900 g de tomates pelées
225 g de raisins secs
225 g d'oignons hachés

225 g de sucre en poudre
600 ml de vinaigre
(au malt si vous en trouvez)

1

Hachez grossièrement les tomates et mettez-
les dans une bassine à confiture.

2

Ajoutez les raisins secs, les oignons
et le sucre en poudre.

3

Versez le vinaigre. Portez à ébullition et
laissez frémir pendant deux heures sans
couvrir. Versez ensuite dans des pots
stérilisés que vous fermez hermétiquement
avec un disque de paraffine et un carré de
cellophane. Conservé dans un endroit sombre
et frais, le Chutney se garde une année.
En revanche, un pot ouvert doit être
réfrigéré et consommé dans la semaine.

Confiture de fraises

Ce grand classique est toujours aussi populaire. N'oubliez pas de laisser refroidir
la confiture avant de la verser dans les pots, pour que les fruits ne flottent pas à la surface.

INGRÉDIENTS

Pour 2,25 kg de confiture environ

1,5 kg de fraises
Jus d'un demi citron
1,5 kg de sucre cristallisé

1

Équeutez les fraises.

2

Mettez-les dans une bassine à confiture avec le jus de citron. Écrasez-en quelques-unes. Laissez frémir les fruits une vingtaine de minutes.

3

Ajoutez le sucre et laissez-le se dissoudre lentement à feu doux. Faites ensuite bouillir la confiture rapidement jusqu'à ce qu'elle commence à prendre.

4

Laissez reposer jusqu'à ce que les fraises soient bien réparties dans la confiture. Versez-la ensuite dans des pots stérilisés que vous fermez hermétiquement avec un disque de paraffine et un carré de cellophane. Conservée dans un endroit sombre et frais, la confiture se garde un an. En revanche, un pot ouvert doit être réfrigéré et consommé dans la semaine.

Marmelade aux trois agrumes

La marmelade est longue à préparer, mais le goût d'une marmelade maison est incomparable avec celui d'une préparation industrielle. Alors, courage !

INGRÉDIENTS

Pour 6 pots de 450 g

350 g d'oranges
350 g de citrons
700 g de pamplemousses
2,5 litres d'eau
2,750 kg de sucre

1

Rincez les fruits et séchez-les.

2

Mettez les fruits dans une bassine à confiture. Ajoutez l'eau et laissez frémir deux heures environ.

3

Sortez les fruits de la bassine et coupez-les en quartiers. Retirez la pulpe et ajoutez-la dans la bassine au sirop.

4

Coupez l'écorce en lamelles et ajoutez-les au reste. Ajoutez le sucre. Faites doucement chauffer le tout jusqu'à ce que le sucre se dissolve, puis portez à ébullition et poursuivez la cuisson jusqu'à ce que la marmelade prenne. Laissez ensuite reposer une heure pour que les lamelles d'écorce se répartissent bien dans le liquide. Versez la marmelade dans des pots stérilisés, que vous fermez hermétiquement avec un disque de paraffine et un carré de cellophane. Conservez dans un endroit sombre et frais.

SAVOUREUX PRÉSENTS

« Piccalilly »

Voici un condiment qui se marie bien avec les saucisses, le jambon et la charcuterie en général.

INGRÉDIENTS

Pour 2 pots de 450 g

675 g de chou-fleur	1 cuillerée à café de graines de
450 g de petits oignons	moutarde pilées
350 g de haricots verts	2 cuillerées à soupe de maïzena
1 cuillerée à café de curcuma	600 ml de vinaigre

1

Coupez le chou-fleur en petits morceaux.

2

Pelez les oignons et équeutez
les haricots verts.

3

Dans une petite casserole, mélangez
le curcuma, la moutarde et la maïzena,
et arrosez le tout de vinaigre. Mélangez bien
et laissez frémir 10 minutes.

4

Versez le vinaigre épicé sur les légumes
dans une cocotte, mélangez bien et faites
cuire le tout à feu doux pendant 45 minutes.

5

Versez la préparation dans des pots stérilisés.
Fermez chaque pot hermétiquement avec un
disque de paraffine et un carré de cellophane.
Conservé dans un endroit sombre et frais, ce
condiment se garde un an. En revanche, un
pot ouvert doit être réfrigéré et consommé
dans la semaine.

Huile parfumée au romarin

Ainsi parfumée, l'huile est parfaite pour enrober viande ou légumes avant de les faire griller.

INGRÉDIENTS

Pour 600 ml d'huile

*600 ml d'huile d'olive
5 brins de romarin frais*

1

Faites un peu chauffer l'huile.
Ajouter 4 brins de romarin et continuez
à faire chauffer le tout.

2

Mettez le dernier brin de romarin dans une
bouteille propre. Filtrez l'huile, versez-la
dans la bouteille et fermez hermétiquement.
Laissez refroidir et conservez dans un endroit
sombre et frais. A utiliser dans la semaine.

Vinaigre parfumé au thym

Quelques gouttes de ce vinaigre donnent un excellent parfum à un saumon que vous allez faire pocher.

INGRÉDIENTS

Pour 600 ml de vinaigre

*600 ml de vinaigre de vin blanc
5 brins de thym frais
3 gousses d'ail pelées*

1

Faites chauffer le vinaigre.

2

Ajoutez 4 brins de thym et les 3 gousses
d'ail et laissez sur le feu. Mettez le dernier
brin de thym dans une bouteille propre,
filtrez le vinaigre et versez-le dans la
bouteille. Fermez-la hermétiquement, laissez
refroidir et conservez dans un endroit sombre
et frais. Vous pouvez garder ce vinaigre
3 mois avant de l'ouvrir.

Index

Remerciements

Tessa Evelegh remercie Lindsay Porter pour toute l'inspiration qu'elle lui a donnée et les encouragements qu'elle lui a prodigués au cours de la réalisation de cet ouvrage. Elle remercie par ailleurs le magazine *Practical Gardening*, Michelle Garrett pour ses superbes photographies ainsi que James et Madeleine pour leur soutien et leur amitié.

Tessa Evelegh et son éditeur remercient également Fiona Barnet de la boutique Manic Botanic à Londres pour le cœur de blé de la page 120, Eileen Simpson de la boutique Hill Ferm Herbs à Northants pour la couronne d'herbes séchées de la page 136, ainsi que le magasin Somerset Country à Londres.

Adresses utiles

Pour terminer, nous vous proposons quelques adresses qui pourront s'avérer utiles lorsque vous serez à la recherche de fournitures pour réaliser vos travaux de décoration, vos compositions florales et autres projets.

Pour tous les travaux manuels, l'incontournable :
ROUGIER & PLE
13, Bd des Filles du Calvaire
75003 Paris
Tél. (1) 42 72 82 91

Vous pouvez également vous procurer leur catalogue de vente par correspondance en écrivant à l'adresse suivante :
Rougier & Plé
BP 492
91164 Longjumeau CEDEX

mais aussi :
LE MONDE DE L'ARTISANAT
54, rue Notre-Dame-de-Lorette
75009 Paris
Tél. (1) 45 96 05 95

et pour tout ce qui est perles et boutons :
LA DROGUERIE
9, rue du Jour
75001 Paris
Tél. (1) 45 08 93 27

Il convient aussi de mentionner les magasins HABITAT, car l'esprit qui y règne est proche de celui de notre ouvrage. On les trouve à Paris et dans la région parisienne, bien sûr, mais aussi dans la plupart des villes de Province.

NOTES

NOTES

NOTES

NOTES

NOTES

NOTES